KRA KRA

KRAKOWSKI KRYMINAŁ

PAWEŁ OKSANOWICZ

Melanż

WARSZAWA 2012

Projekt okładki: *Agata Plewicka*

Zdjęcie na okładkę: *Paweł Oksanowicz*
Zdjęcie autora: *Dariusz Warzecha*

Redakcja: *Elżbieta Morawska*
Korekta: *Ewa Kłosiewicz*

Skład i łamanie: *AKANT*

ISBN 978-83-928029-1-4

Wydanie I

MELANŻ
ul. Rajskich Ptaków 50, 02-816 Warszawa
tel. +48 664 402 402
wydawnictwo@genczelewska.pl
www.genczelewska.pl

– Tylko nie do Krakowa!

– Zdaje się, że nie masz nic do gadania.

– No, ale czy nie mamy wpływu na lokalizację tych przeklętych zdjęć?

– My? Ivo, podejdź tu do mnie. – Nadkomisarz Rutynny w trakcie rozmowy zdążył wstać z fotela i podejść do okna. Podniósł żaluzje i wskazał na parking z kilkoma radiowozami Komendy Stołecznej. – Czy ja prowadzę tutaj wytwórnię filmową? Kręcę kasowe seriale o glinach? Akurat z niebieskiego poloneza dwóch policjantów wyprowadzało długowłosego mężczyznę w dresie i w kajdankach.

– Może bym nawet i chciał. Zamiast tych wszystkich ćpunów, bandytów i złodziei miałbym tu tabun pięknych lasek na castingi, tancerki i superbryki. A tak, no cóż.

Usiedli z powrotem przy biurku. Ivo wyłożył ostatnią kartę na stół:

– Ale ja właśnie zabrałem się za sprawę zaginięcia detektywa T!

– To może poczekać. Zresztą T sam się znajdzie, jest profesjonalistą. Nie rozumiesz, że bardzo nam zależy na tym serialu? Sam minister się nim interesuje.

– Minister kultury?

– Nie, nasz. Po ostatnich wpadkach policji...

– Ale przecież nie tak odbudowuje się swoje dobre imię!

– Nawet nie wiesz, jak ludzie wierzą w to, co im dają po Wiadomościach. Bardziej niż w ich trakcie.

– A więc, co mam tam robić?

– Pojutrze w Krakowie reżyser Dyjma zaczyna kręcić nowy serial, „Zbójcy". Będziesz na planie odpowiedzialny za pokazywanie prawdy o nas.

– Prawda o nas w telewizji? Te błyszczące auta i wypomadowani lalusie z izraelskimi gnatami? Cukrowane morderstwa i porwania?

– Nie interesuje mnie teraz twoja prywatna opinia na ten temat, którą zresztą prywatnie podzielam. Jedziesz po to, żeby im pomagać. Tam będą wszyscy znani dziennikarze i cała telewizja. A wiesz, dlaczego? – Ivo milczał, pocierając nerwowo czoło. – Główną rolę w tym serialu gra najlepsza obecnie polska aktorka, Adela Fajfusówna. No, bracie, będzie na co popatrzeć!

1

Alfa romeo komisarza Ivo Łebskiego utknęła w korku. „Ile spędzę tu czasu? Miesiąc, dwa?". Wzdrygnął się na myśl o tym, że zdjęcia się przedłużą, a on dostanie rozkaz pozostania tam na pół roku. Trąbienie. Ktoś z tyłu korka go poganiał. On jednak pokazał klasę, nie pokazując niczego innego i toczył się dalej. Wreszcie zobaczył przyczynę zatoru. Wypadek. Stary volkswagen skrył się pod autobusem. Zdenerwowany kierowca chodził obok spłaszczonego pojazdu i chował do kieszeni części. Nagle poślizgnął się na plamie oleju.

– Nic się panu nie stało? – krzyknął komisarz przez otwarte okno.

Pechowy kierowca podnosił się z asfaltu z nieprzytomnym wzrokiem. Nawet nie odpowiedział na pytanie. Tamten z tyłu znowu zatrąbił.

– Dryyynn... – komisarz wcisnął dzwonek do dyżurki. W zakratowanym okienku Komendy Miejskiej w Krakowie pojawił się dyżurny oficer.

– Proszę mnie zameldować. Ivo Łebski z Warszawy.

– A, ten z filmu? Świetnie, nadkomisarz Nawała już o pana pytał. Pół godziny spóźnienia.

Dyżurny zapisał coś w zeszycie i pokazał Łebskiemu drogę.

Ponure korytarze poprowadziły go do wysokiego pokoju z wielkim, dębowym biurkiem, pamiętającym jeszcze czasy stójkowych, później Milicji Obywatelskiej, a teraz – Policji Rzeczypospolitej Polskiej. Siedział za nim łysiejący blondyn z wyraźnymi objawami przepicia.

– Proszę usiąść, komisarzu. Czym mogę pana poczęstować? Jak podróż? Znalazł pan miejsce, gdzie się zatrzymać? Nie mam zbyt wiele czasu, więc proszę o krótkie odpowiedzi.

Nie wyglądało, żeby mu się gdziekolwiek spieszyło.

– Woda. Podróż dobra, dziękuję, do granic Krakowa. Mam.

Przez twarz Nawały przemknął blady uśmiech.

– Dlaczego podróż była dobra tylko do granic miasta?

– Bo później..., hmmm..., macie tu kiepskie drogi i niestety takich samych kierowców. Może komenda powinna zrobić jakieś pokazy, treningi?

– Statystycznie w mieście mamy najmniej wypadków w skali kraju. Rozumiem, że przyjechał pan tu też po to, by to zmienić?

– Dobrze pan wie, po co.

– I zupełnie tego nie rozumiem. Jakbyśmy na miejscu nie mieli doskonałych specjalistów od kryminalistyki. – Nawała poprawił się w fotelu, poprawiając koszulę. Charakterystyczne zagięcia materiału świadczyły o tym, że nie miał nikogo, kto mógłby mu ją wyprasować.

– Nie będę kwestionował rozkazów. Pan też, panie komisarzu Powała.

– Nawała. Nazywam się Nawała. – Spojrzeli sobie głęboko w oczy.

Cóż, niewiele można było dostrzec w ludzkich oczach, oprócz pseudotajemniczych cieni i błysków w szklistej głębi. Dlatego Łebski zawsze uważał, że człowieka należy oceniać po czynach, a nie oczach. Nie zdradził się też, że również jemu ten przyjazd nie był na rękę. Oprócz tego Nawała miał mu pomagać, a na to się nie zanosiło. „Nie pierwszy raz – myślał Ivo – zawsze to samo. Organa do prześcigania się".

Nad Krakowem zapadał listopadowy zmrok i w pokoju robiło się coraz ciemniej. Zaszurało krzesło. Gospodarz wstał i włączył lampę, rzucającą ciepłe światło na mały stolik z dwoma fotelami stojący w rogu. Zrobiło się trochę przyjemniej.

– Proszę tutaj. – Łebski skorzystał z zaproszenia. Przyjął nawet lucky sticke'a, choć nie lubił tej marki. Mężczyźni milczeli przez chwilę. W świetle lampy dym płatami opadał na podłogę.

– Nie musimy przecież tak od razu.

– Od razu – co?

– Wyciągać starej niechęci pomiędzy Warszawą a Krakowem.

Łebski dopiero teraz zauważył w ramce stojącej na stoliku zdjęcie aktorki, z którą miał się niebawem spotkać.

– Fajfusówna to ktoś z pana rodziny?

– Wręcz przeciwnie. Jestem jej napa..., zapalonym wielbicielem. Nie uważa pan, że to doskonała aktorka?

– Taaaak, świetna – z odpowiedzi Łebskiego trudno było wywnioskować, czy mówi serio, czy kpi. A prawda była taka, że z nową gwiazdą polskiego filmu zetknął się po raz pierwszy dwie godziny temu, tankując paliwo. Kupił wtedy przy okazji przewodnik po Krakowie i miesięcznik z jej twarzą na okładce.

– Nie omieszkam odwiedzić pana na planie filmu. Jestem ciekaw metod prowadzenia śledztw, którymi posługują się stołeczni oficerowie.

„Doprawdy?" Tę rozmowę komisarz Ivo Łebski dokończył już w myślach, po czym pożegnał się, gasząc w przepełnionej popielniczce wypalonego do połowy papierosa.

Smak lucky strike'a utrzymywał się w ustach jeszcze długo. Mocny, gryzący, nieprzyjemny. Chyba dlatego, że papieros pochodził z paczki bez akcyzy. „Pewnie ze Wschodu. Po jakiejś akcji na bazar z Ruskimi". Wyciągnął lizak z kieszeni kurtki i tym przedszkolnym sposobem pozbył się nieprzyjemnego smaku. Kolejny krok – pensjonat „Róża".

Pensjonat „Róża" hrabiny de Szumiejskiej poleciła mu ciotka z Warszawy. Gościła w nim na Sylwestra w 1938 roku.

– Ależ ciociu, kiedy to było?!

– Ivo, bardzo proszę, wykręć ten numer. Tylko dodaj szóstkę, bo przed wojną mieli inne numery. Ty nawet nie wiesz, co to za czarująca osoba ta hrabina! Bardzo się polubiłyśmy. Oprócz tego Kraków to miasto arystokratyczne. Jak ty się w nim odnajdziesz bez odpowiedniego polecenia? Zaraz, zaraz, gdzie ja miałam ten telefon...

Po chwili Łebski, zmuszony sytuacją, wykręcał już numer z reklamy w „Kuryerze Krakowskim", wydanie sprzed wojny.

– A nie mówiłam! – Komisarz był bardziej zaskoczony niż ciotka, bo pomimo upływu czasu pensjonat nadal funkcjonował. Udało mu się nawet zarezerwować pokój i teraz z walizką i listem do hrabiny stał przed przerdzewiałą furtką, nad którą dyndał napis „Pensjonat Róża". Na dzwonek jednak nikt nie odpowiadał.

Ściemniło się. Wiatr strącał liście z drzew, goniąc je po wilgotnym, krzywym chodniku. Ivo przeszedł przez zapuszczony ogród do drzwi starej willi. Tu, pod konarami okazałych dębów i świerków panował mrok, którego nie rozpraszało światło. I co bardziej zastanawiające – okna pensjonatu również były ciemne, chociaż Ivo zapowiadał przyjazd na ten wieczór. Wyglądało na to, że w środku nie było nikogo. Nikogo? Przez moment wydawało się Łebskiemu, że mignął mu w oknie cień człowieka, a światło przedarło się zza szczelnie zasuniętej zasłony. Ale było to tylko złudzenie.

– Jakie wrażenia po pierwszej nocy w Krakowie? – Nawała starał się być miły.

– Możecie wysłać radiowóz na Cichą, do pensjonatu „Róża"?

– Tam mieszka Fajfusówna? Chce pan jej podarować kwiaty?

– Czy do tego używacie służbowych samochodów?

Znowu ten sam pokój w komendzie, ten sam stolik i ten sam papieros. Obaj mieli ciężką noc. Łebski spędził ją w przypadkowym hostelu przy Rynku. Twarde, krótkie łóżko i impreza za ścianą. Nawała, jak co noc – najpierw kilka drinków przed telewizorem, później poker podlewany whisky i znów kilka drinków z rozebranymi panienkami na ekranie, zanim usnął, czując język swego spaniela domagającego się już porannego spaceru.

– Jutro zaczynają zdjęcia. Gdzie mam się zgłosić?

– Tu jest adres. Początek o 6.00 rano. Ivo wstał i dzwoniąc ostrogami o podłogę, wyszedł z pokoju.

– Komisarzu, pozdrówcie ode mnie pannę Fajfusównę – usłyszał zanim zamknął drzwi.

Na plan wszedł przez drzwi w dekoracji z głośnym „dzień dobry", czym spowodował nerwowe ruchy u człowieka z megafonem w ręce i z baseballówką z napisem „reżyser". Podobny widniał na krzesełku, z którego się zerwał.

– *Scheisse*, co za dureń wchodzi mi w scenę?!

– Komisarz Łebski, Komenda Stołeczna.

– Jezu, panie komisarzu, czy nikt panu nie powiedział, że tu jest plan? Taka wspaniała scena – zepsuta!

Druga noc z nogami poza łóżkiem nie wpłynęła dobrze na samopoczucie Łebskiego. A tu jeszcze te ironiczne uśmiechy całej ekipy. No i kolejne spóźnienie. Nigdy mu się to nie zdarzało z taką częstotliwością.

– Kto się nim zajmie?

– Mogę ja – znowu śmiech. – Adela Fajfusówna jestem.

– Ależ Adelu droga, nie czas na romanse. Bierzemy się do roboty, wszyscy na miejsca, kamera, dajcie tu więcej światła!

Ładna ta Fajfusówna! Blondynka z zielonymi oczami. I jaka figura! Trudno się było nie zaczerwienić. Rzuciła mu zalotne spojrzenie z delikatnym oblizaniem warg, a może tylko tak się wydało Łebskiemu? Miał też wrażenie, że rzęsami wskazała drzwi swojej przyczepy, a wiadomo, że mało co na świecie potrafi tak pociągać, jak przyczepy młodych aktorek.

– No, no, wpadł jej pan w oko, ależ Rozmaryn będzie wściekły! – Asystentka planu wzięła go pod rękę i wytłumaczyła, co to jest cięcie, ujęcie, klaps, klapa i premiera, a także kim jest Rozmaryn.

– Aktor, również grający w tym serialu, oficjalny narzeczony Adeli. „A co mnie obchodzi jakiś Rozmaryn? Albo ta Fajfusówna? Agata wystarczy mi za wszystkie babki świata" – myślał, gdy kryli się za dekoracją.

Dekoracja przedstawiała wnętrze nowoczesnego salonu.

– Może pani mi wyjaśni, o co chodzi w tym odcinku?

– No więc, Adela ma właśnie zostać dziewczyną Rozmaryna, który jest oficerem policji. On musi rozwiązać sprawę porwania córki biznesmena, ale ona jest tak naprawdę podstawiona przez mafię. Zakochują się w sobie, choć nie powinni.

– A dlaczego porwano córkę biznesmena?

– W rzeczywistości to nie porwano, bo on sam chce ukryć malwersacje przed swoim wspólnikiem.

– Wspólnikiem, ale z mafii?

– Skąd pan wie? To dopiero ma się okazać na koniec odcinka!

– W końcu pracuję w policji. Ten czarny, w białym, obcisłym podkoszulku to Rozmaryn?

– Aha.

– A tamten, pod drzewem, w garniturze, to ten biznesmen? – dziewczyna aż klasnęła z zadowolenia. – Od razu ich rozgryzłem.

Asystentka, kiwając z niedowierzaniem głową, odeszła do barakowozu, który pełnił funkcję baru. Mówiła coś podekscytowana, siedząc pośrodku ekipy i wskazując na Łebskiego.

Po rozwiązaniu kryminalnej zagadki Łebskiemu nie pozostało nic innego jak sudoku, palenie i kartkowanie filmowych miesięczników.

Miesięcznik ze zdjęciem Fajfusówny leżał na biurku. Stan okładki pozwalał się domyślić, że Nawała nie rozstawał się z nim, nawet idąc do WC. Teraz znowu wczytywał się w wywiad z aktorką, w którym przyznawała się do smakowania życia dopóki jest młoda, słabości do koloru różowego i jogurtu malinowo-truskawkowego. „Cóż za zmysłowe połączenie" – ekscytował się w duchu Nawała. Śniła mu się nocami. Marzył o niej za dnia, wieczorami oglądał po raz kolejny te same seriale, w których grała. Jeszcze dwa dni temu widział sam siebie na planie „Zbójców", gdy rozmawia z nią i uczy repetować broń, dotykając delikatnie jej palców. Jest blisko, tuż za plecami Adeli, czuje jej zapach, włosy dotykają jego twarzy... Tak to się miało mniej więcej potoczyć, gdyby nie ten zarozumialec z Warszawy.

Wykręcił numer wydziału wewnętrznego.

– Sprawdźcie mi tego Łebskiego – Nawała rzucił do słuchawki. – Na przykład, czy nie toczyło się przeciwko niemu jakieś postępowanie dyscyplinarne?

Podszedł do okna. Kraków. Jego miasto. Nie lubił obcych, przyjezdnych. Przywozili ze sobą nowe zwyczaje i inny śmiech, kupowali kamienice, tłoczyli się na każdym rogu przy kebabach. Zabijał ich spojrzeniem.

Spojrzał na zegarek. Dziesiąta.

– Proszę pana, ona bardzo chciałaby pana poznać – asystentka planu zaczepiła Łebskiego przy samochodzie.

– Przykro mi, może jutro. Mam coś do załatwienia.

– Ale to bardzo pilne. Adela znalazła coś w swojej przyczepie i jest cała roztrzęsiona.

Zawahał się przez moment.

– Czy to nie może poczekać? Ja też u siebie czasem znajduję różne rzeczy, a potem nie mogę dojść do siebie. Na przykład w lodówce.

– Proszę nie żartować.

– Dobrze, ale pod warunkiem, że pani będzie obecna przy tej rozmowie. Jest późno, a ja właśnie skończyłem czytać podręcznik o molestowaniu.

– To niemożliwe, ona zabrania komukolwiek wstępu do swojej przyczepy. Nawet Rozmaryn nie ma do tego prawa.

Połechtało go to, więc się zgodził.

Na planie ostatni akustycy łapali do worków niewykorzystane dźwięki, żeby było na jutro, a ludzie od kostiumów całowali się po kątach, w parach homo i hetero. Potknął się o czarny, gruby przewód wijący się po ziemi. W tym samym momencie po drugiej stronie placu zgasł jedyny reflektor, jaki oświetlał plac. Usłyszał jeszcze krzyk jakiegoś człowieka spadającego z rusztowania i zapadły ciemności. Potykając się i błądząc, trafił wreszcie do przyczepy z napisem „Adela". Zapukał. W momencie, gdy dostał zaproszenie do środka i złapał za klamkę, oślepił go flesz aparatu.

– Co to, do cholery, ma znaczyć?!

Odpowiedzi oczywiście nie dosłyszał, za to szybkie, oddalające się kroki mówiły same ze siebie. Najgorsze, że nie mógł się ruszyć, oślepiony błyskiem flesza. „Pozostaje mieć nadzieję, że włączył redukcję efektu czerwonych oczu" przemknęło mu jeszcze przez głowę. Powoli, z początku niewyraźnie, a potem coraz lepiej kształty ciała aktorki zaczęły przybierać na owalach.

– No, dlaczego pan nie wchodzi? – Fajfusówna spoglądała na niego z uśmiechem.

– Jakiś bałwan oślepił mnie fleszem.

– Ja pana wprowadzę. Proszę mi podać rękę – i bez wahania wciągnęła go do środka.

W środku, za sprawą nieopisanego wręcz bałaganu, trudno było zrobić choćby krok. Nic dziwnego, że właścicielka nikogo tu nie wpuszczała. Tym bardziej zdziwiło go, że podobno coś tu znalazła.

– Proszę, niech pan usiądzie. Bardzo bolą oczy? Ja jestem już przyzwyczajona do reporterów – i jednym ruchem ręki, zrzucając ubrania na podłogę, zrobiła dla komisarza miejsce na tapczanie.

– A więc, co takiego panią zaniepokoiło, żeby mnie wzywać? – starał się być oschły, choć zupełnie mu to nie wychodziło. Miała na sobie prowokacyjnie rozpiętą bluzę dresu i krótkie spodenki.

– Proszę spojrzeć.

Anonim. Kolorowe, niestarannie powyrywane litery układały się w napis: „Cały czas cię widzę króliczku. Bądź wilgotna, gdy do ciebie przyjdę".

Powąchał kartkę papieru. Nic. Spojrzał pod światło, też nic. Spróbował odkleić litery. Znowu nic. Adela intensywnie przyglądała się czynnościom śledczym Łebskiego, pochylając się nisko, gdy pod butem sprawdzał twardość papieru. Znaleźli się bardzo blisko siebie. Komisarz zawędrował wzrokiem głęboko w dekolt aktorki, co nie pozostało niezauważone. Skromnie podciągnęła suwak w górę.

– Kiedy pani go zauważyła?

– Dziś, po zdjęciach.

– Mówiono mi, że nikogo pani tu nie wpuszcza, ale czy rzeczywiście? Proszę mi powiedzieć, tylko szczerze, kto ostatnio był w przyczepie?

– Ostatnio... Marek, Tommy, Paweł, Apolinary, Kazanecki, Maciek, Pietro, Maurizio i...– tu zawahała się przez moment – ...Andrzej, no i pan. Tak, to chyba wszyscy.

– A Rozmaryn? Ma zakaz wstępu do przyczepy?

– Rozmaryn jest do niczego – Fajfusówna uśmiechnęła się ironicznie. – Ale lepiej, żeby nie wiedział o innych. I ten zakaz jest tylko dla obcych – Fajfusówna uśmiechnęła się niewinnie. – Chyba nie sądzi pan, że jestem jak jakaś...

– Nic nie sądzę, na razie – poprawił się na łóżku, wyciągając spod lewego pośladka stringi. – Proszę, to chyba pani – podał jej bieliznę, czerwieniąc się jak klinkier. – Czy to pierwszy raz? Ten anonim, znaczy?

Odpowiedziała, że tak. I bardzo się boi. Bo choć do tej pory dostawała sporo listów i propozycji, na które oczywiście nie odpowiadała, ten list ją przeraził.

– Proszę się nie martwić. Anonim zabieram ze sobą i obiecuję się tym zająć. Na razie nic wielkiego się nie dzieje. Na świecie pełno jest zboczeńców. Kto panią odwozi do hotelu?

– Rozmaryn będzie tu za chwilę.

Pożegnał się szybko i wyszedł, nie miał ochoty na to spotkanie.

„Cały czas cię widzę króliczku. Bądź wilgotna, gdy do ciebie przyjdę" – obracał kartkę w palcach. Wiedział, że o czymś zapomniał. Olśnienie przyszło nagle. „Przecież nie zadałem najważniejszego pytania – czy rzeczywiście bywała tam wilgotna?".

Strugi deszczu spływały po szybie. O rozłożony parasol Dyjmy ciągle ktoś się potykał.

– Diabli nadali tego komisarza z Warszawy – żalił się reżyser najbliższemu współpracownikowi. Scenarzysta Wielgus potakiwał, popijając absynt zmieszany z mlekiem.

– Może się do czegoś przyda?

– On? Widziałeś jak schrzanił poranną scenę? Duble już nie wyszły tak dobrze.

Przez zmokniętą witrynę „Vis à vis", inaczej „Zwisu", słynnego baru w pobliżu Piwnicy pod Baranami, szklił się wypolerowany tłumami turystów bruk krakowskiego Rynku. Teraz przechodniów można było policzyć zaledwie na palcach lewej ręki. Dlaczego lewej? Bo w prawej trzymali papierosy. Dym kłębił się pod sufitem w secesyjne esy-floresy, co potrafił uchwycić anonimowy rysownik, skryty w kącie baru. Czasami odkaszlnął głęboko i nieprzyjemnie, ale nikt już nie zwracał na to uwagi. Podobno od 28 lat, z wyjątkiem wielkich świąt, nie było wieczoru, żeby nie „zwisał", jak tu mawiano. Za dnia można go było spotkać sprzedającego portrety słynnych bywalców baru. Paparazzich nie wpuszczano do środka, więc konkurencji nie miał żadnej.

– Kto go właściwie przysłał?

– Bardzo zależało na tym producentowi. Musimy być wiarygodni, bo po Wiadomościach, gdy będzie emitowany serial, na Polsacie leci reality show z więzienia.

Pociągnęli absyntu i zapadli w zadumę. Nagle Dyjmie wydało się, że zmoknięte maszkarony z dachu Sukiennic oderwały się od gzymsu i zataczając szerokie, kamienne kręgi ponad Rynkiem zleciały w dół, skrzecząc przeraźliwie i strasząc zmokniętych przechodniów. Przetarł oczy ze zdumienia, ale maszkarony nie odfrunęły. Co więcej, dostrzegły jego spojrzenie i ruszyły wprost na witrynę „Zwisu".

– Jak w „Ptakach" Hitchcocka.

– Co mówisz? – ocknął się Wielgus. – Chcesz, żebyśmy zrobili scenę z ptakami?

– To jest myśl! – Dyjma poderwał się z miejsca. Wszyscy odwrócili się w jego stronę, bijąc brawo mistrzowi, bo już wielokrotnie się zdarzało, że miewał takie olśnienia. Rysownik zaszurał energicznie węglem po papierze, nie chcąc tracić ani sekundy z tej chwili godnej uwiecznienia dla potomności i z brudnej chęci zysku. Maszkarony odleciały.

– Gołębie uratują go z zamknięcia! Wezmą go w dzioby i przeniosą poza posiadłość, gdzie został uwięziony!

Wielgus wiedział, że nie należało w takich chwilach sprzeciwiać się mistrzowi.

Mistrzowsko strącając łokciem sześć pustych szklanek ze stolika, reżyser Dyjma wstał, zatrzymał się w drzwiach „Zwisu", szarpiąc się z parasolem. Ktoś się zlitował i rozłożył urządzenie. Nawet nie podziękował. Odbijało mu się nieprzyjemnie mlekiem, papierosy wpadły do kałuży. Zawołał dorożkę i kazał się wieźć na Kazimierz, gdzie mieszkał.

Zapadł w głęboki fotel konnego pojazdu i okrył szczelnie płaszczem. Choć dach był podniesiony, wiatr od czasu do czasu przywiewał zimne krople do środka. „Dobrze, że wziąłem trochę na wynos" – pomyślał Dyjma. Chciał pociągnąć alkoholu ze szklanki, ale konie nagle szarpnęły i zawartość drinka wylądowała na ubraniu.

– Co jest, do cholery! Ty, na koźle, nie umiesz jeździć, ośle?

– Bardzo pana przepraszam, to nie moja wina. Kary dziś niespokojny – woźnica ciął batem konia, a ten zarżał donośnie.

Pojechali Grodzką w stronę Wawelu, by potem skręcić w lewo, na Stradom.

Klangor końskich kopyt odbijał się od renesansowych kamienic i tonął w głębokich tunelach mijanych bram i podwórek. Niektóre ciemne, inne oświetlone mdłym światłem reklam restauracji; jedne i drugie zachęcały do dalszej nocnej penetracji. Dyjma nawet by się skusił, lecz pora była już późna. Jutro od samego rana mieli kręcić dalej.

– Szybciej, człowieku, wleczesz się jak koń pod górę!

– Gdzie szybciej? Ślisko, ciemno – odparł woźnica – jeszcze kogo rozjadę. Niechże się pan uspokoi!

– Ja? Ty, mnie, kmiocie? Jak śmiesz ze mną w ogóle rozmawiać?! – poniósł się po ulicy krzyk wzburzonego reżysera. – Ja to zgłoszę! Wysiadam, muszę się jeszcze napić!

Chciał wstać, lecz niespodziewanie woźnica strzelił z bata, a konie ruszyły ostro, z początku dramatycznie ślizgając się na bruku.

Pasażer dorożki opadł na siedzenie, uderzając się w głowę.

– Ludzie, ratunku, pomocy! – darł się w niebogłosy. Jeszcze raz próbował wstać i wyskoczyć z dorożki, ale galopowali już na całego. Woźnica, widząc beznadziejne próby opuszczenia jego towarzystwa, pchnął reżysera mocno końcówką bata, zaklął siarczyście, wstał na nogi i strzelając głośno ze swego groźnego pomocnika, jeszcze bardziej pognał konie. Reżyser wytrzeźwiał w jednej chwili. Był przerażony. Nigdy, ale to nigdy nie spotkała go taka przygoda, a tym bardziej w Krakowie, najbezpieczniejszym z miast. Galopowali z zawrotną prędkością, jakby gonili ich bandyci na prerii. „15.10 do Jumy?", „Dzika banda?". Dyjma miał dobre, filmowe nawyki i nawet przez chwilę zaczął się zastanawiać nad umieszczeniem podobnej sceny w serialu.

– Pan nie wie, kim ja jestem! – krzyczał w stronę szaleńca na koźle. Ich pojazd podskakiwał na każdym kocim łbie, trzeszczał i zgrzytał, ocierając się o granice technologicznej wytrzymałości.

– Aż za bardzo wiem! – usłyszał w odpowiedzi. Akurat galopowali obok kościoła Nawrócenia św. Pawła. – I radzę ci się przypatrzeć temu kościołowi! Bo musisz się nawrócić!

– Ja? – Dyjmie przemknęło przez głowę, że dostał się w ręce jakiegoś fanatyka religijnego, który oglądając jego filmy, doszedł do wniosku, że są zbyt liberalne w obrazie, więc postanowił go wykastrować. – Stać! Ja wysiadam! Ratuuuunkuu! – poniosło się ulicami najtrwożniejsze z możliwych wezwanie.

Nagle woźnica wstrzymał konie, przeskoczył przez swoje krzesło i walnął pasażera w brzuch. Zabolało mocno, ale reżyser próbował się wyswobodzić. Szarpali się przez chwilę. Terrorysta miał na głowie kominiarkę. Był silniejszy, opór więc nie trwał długo. Przyduszony do podłogi dorożki i obezwładniony ciosem pięścią, Dyjma stracił przytomność jak student po zdanym egzaminie.

Student krakowskiej ASP Antoni Szumiejski nie znosił pospolitości. Nawet buty malował w niepowtarzalne wzory, a jego noga nigdy nie postała w hipermarkecie. Gdyby mógł, to po Warholu chodziłby jak pruscy oficerowie po impresjonistach, do wygódki, żeby nie ubrudzić się w błocie. W jego rodzinie był kiedyś nawet oryginalny Bellini, który później trafił do rąk Czartoryskich. Teraz wisiał w muzeum na św. Jana, a Antoś często tam zachodził, zastanawiając się, jak odebrać własność rodziny bez zbędnych formalności. W pensjonacie, gdzie mieszkał razem z babką, na ścianach wisiały portrety przodków i sceny rodzajowe sprzed dwustu lat, dowodząc dawnej świetności de Szumiejskich. Hrabina pamiętała jeszcze czasy, gdy całe lato oraz część jesieni spędzała z mężem i dziećmi w pałacu w Szczekocinach. Potem była wojna i komuniści. Mąż zginął, a jej odebrano majątek. Nie ugięła się przed władzą ludową, która chciała, żeby zniknęło „de" z nazwiska. Za to musiała się rozstać z synem. Zginął w wypadku na drodze do Zakopanego, w sportowym samochodzie własnej konstrukcji. Śledztwo wykazało błędy konstrukcyjne, ale oni wiedzieli, że to ubecy zepsuli hamulce. W tamtych antyindywidualistycznych czasach zbudować sobie samochód mógł jedynie pułkownik UB Słodowy – skwitowała hrabina, rzucając różę na trumnę syna, który też nie oddał im „de". Stało się to dopiero, gdy wnuk hrabiny sam zrezygnował z arystokratycznego rysu w dowodzie osobistym, za zgodą babci, bo wydawało się to Antosiowi już przestarzałe.

Antoni włożył babcię do wózka, otulił szczelnie kocem i powoli, stopień po stopniu zwiózł do ogrodu. Tam natknął się na wysokiego mężczyznę o twarzy Johna Wayna, z blizną przy lewej skroni.

– No, nareszcie kogoś spotykam! – nieznajomy przedstawił się jako komisarz Ivo Łebski z Warszawy. – Rozmawiałem z panią przez telefon kilka dni temu. Moja ciotka poleciła mi ten pensjonat. To pani dawna znajoma, Irmina Zawistowska, jeszcze sprzed wojny.

I komisarz rzucił się do całowania hrabiny w pierścień, jak przykazała ciocia, lecz zanim znalazł rękę staruszki w fałdach koca, towarzyszący jej młodzieniec stanął pomiędzy nimi.

– Babcia dziś niedysponowana, proszę jej nie przeszkadzać!

Rzeczywiście, hrabina wyglądała nieszczególnie. Ziemista cera wpadająca w indygo w okolicach oczu, nieprzytomny, szklisty wzrok, a ponad nim kępka przetłuszczonych, rzadkich, siwych włosów. „I ona ma mnie wprowadzić do towarzystwa?" – przemknęło Łebskiemu przez głowę.

– Może rzeczywiście nie będę przeszkadzał. Powiem tylko, że jestem zaszczycony, że zamieszkam w pensjonacie pani hrabiny. Ciocia Zawistowska tyle mi o pani opowiadała! Że zna się pani na gotowaniu, polowaniach, sztuce, samochodach, ludziach i wybornie gra w szachy. Na pewno będzie okazja, by rozegrać partyjkę. Dwa lata z rzędu zdobyłem mistrzostwo komendy na Mokotowie.

Hrabina milczała, jakby nic do niej nie docierało.

– Proszę już dać babci spokój, od rana dokucza jej podagra. Idziemy na spacer.

– Może wieczorem będzie bardziej rozmowna? A tak przy okazji, który pokój mogę zająć?

Wnuk de Szumiejskiej od początku rozmowy zachowywał się niespokojnie. To nerwowo poprawiał staruszce chustkę na głowie, to przekrzywiony szalik, albo co rusz podsuwał opadające z nosa wielkie, ciemne okulary, moda sprzed 30 lat. A po pytaniu Łebskiego mina mu naprawdę zrzedła. Odburknął, że skoro się nie pojawiał od dwóch dni, myśleli, że rezerwacja jest nieaktualna.

– Ależ ja od dwóch dni codziennie tu byłem i nikogo nie mogłem zastać!

– Bo byłem na plenerze.

– No, ale gospodyni została na miejscu.

Antoni obrócił się razem z hrabiowskim wózkiem, a na odchodnym rzucił, że pierwszy pokój po prawej, na piętrze, jest przygotowany.

Wszystko było przygotowane. Światła, dźwięk, aktorzy.

– Dlaczego nie kręcicie? – Łebski znowu spóźnił się na plan. Był jednak w dobrym nastroju, zadowolony z przeprowadzki do pensjonatu. Kolejną noc miał już przespać w pełnowymiarowym łóżku.

– Nie ma jeszcze reżysera – usłyszał od asystentki, – a telefon nie odpowiada.

Była dziesiąta. Cała ekipa stała w barze i czekała na Dyjmę. Brakowało tylko Fajfusówny. Spojrzał w kierunku jej przyczepy, która poruszała się miarowo, jakby ktoś w niej tańczył. Dochodziła stamtąd głośna muzyka.

– A w domu?

– Też go nie ma. Pewnie gdzieś zabalował i teraz się budzi.

Usiedli przy stoliku. Pomyślał, że filmowcy mają naprawdę bezproblemowe życie.

– Ile on zarabia?

– Zaraz ty zarobisz – przed Łebskim nagle wyrósł ciemny mężczyzna w białej koszulce. Rzucił na stół najnowszy numer „Super Expressu". – Co to ma znaczyć, macho z Łomianek? – Na pierwszej stronie tytuł: „Nowy kochanek Adeli", i zdjęcie komisarza wchodzącego do przyczepy.

– Nie znam pana i nie mam ochoty znać.

– Wstań i załatwmy to jak mężczyźni.

– Co? Wszyscy załatwiamy się jednakowo.

Asystentka parsknęła śmiechem, a cała ekipa zwróciła oczy w ich stronę.

– Ależ Rozmi, daj spokój. Po co ta awantura?

Rozmaryn stał czerwony i dyszący. Komisarz zachowywał lodowaty spokój, choć w środku już staczał walkę.

– Niepotrzebne to panu w karierze – rzekł do głośno sapiącego nad nim aktora – Poza tym, dobrze, że się pan pokazał. Potrzebne mi są pańskie odciski palców.

– Moje – co? Odciski palców? – roześmiał się głupkowato. – Wstajesz czy nie?

– Sądząc po nieuzasadnionych atakach zazdrości, mam uzasadnione powody, aby przypuszczać, że to pan pisze anonimy do Adeli Fafusówny.

– Anonimy?

– Eee, to jakaś lipa, już kiedyś dostawała.

– Robi tylko szum wokół siebie – dało się słyszeć z lewa i prawa. – I sama podkłada je do przyczepy.

– Jakie anonimy? Do jakiej przyczepy? To niemożliwe, tam nikt nie ma wstępu! – Rozmaryn nadal był na „nie".

– A Tommy, Paweł, Apolinary, Kazanecki, Maciek, Pietro, Maurizio, Andrzej i ja? – tu Łebski ugryzł się w język, bo choć pamięć miał dobrą, obiecał przecież nie zdradzać Adeli.

– I Andrzej też?! To oni wszyscy... I wy to wiecie? – rozejrzał się wkoło. Sytuacja nabrała innego wymiaru. W Rozmarynie coś pękło. Wzrok mu zmętniał, cały zwiędł jak szczypiorek.

– Nikt nic nie wie – komisarz starał się szybko naprawić błąd. – Niech pan usiądzie i napije się kawy.

W tym momencie aktor naprężył się niespodziewanie. Ivo zrobił unik, ale nie było to potrzebne, bo złość Rozmaryna dotyczyła kogoś innego. Wściekle zaciskając pięści, przeszedł przez wielki plac zastawiony dekoracjami, stanął przed drzwiami przyczepy Fajfusówny i zaczął się dobijać. Wszyscy szybko się ulotnili w przeczuciu tego, co nastąpi, a bufetowa, aby nie słyszeć awantury na drugim końcu placu, dała głośniej radio.

Radio w gabinecie nadkomisarza Nawały nadawało właśnie wiadomość o niecodziennej kradzieży dorożki, „...którą później znaleziono porzuconą na krakowskim Stradomiu. Wystraszone konie błąkały się samotnie po ulicach, dopóki pierwsi poranni przechodnie nie wezwali straży miejskiej". Nie to jednak zaprzątało uwagę Nawały. Miał w rękach najnowszy „Super Express". „A więc on już romansuje z moją Adelą? – zgasił kolejnego papierosa. – To przecież mogłem być ja". Popiół wysypał się na blat. Zdenerwowanie nadkomisarza sięgnęło zenitu. Z artykułu wynikało, że od trzech nocy nieznany bliżej nikomu policjant z Warszawy przyjeżdża z kwiatami do gwiazdy polskiego aktorstwa i jeżdżą do jakiegoś podkrakowskiego dworku, gdzie spędzają namiętne noce. Jeszcze nie pokazali się publicznie, ale to tylko kwestia czasu. „Kwiaty? Namiętne noce? Publiczne pokazywanie się?". Nawała zawołał sekretarkę.

– Nie ma mnie dla nikogo, wychodzę z biura. A na jutro ma się tu stawić ten oficer z Warszawy!

Wsiadł do służbowego opla i kazał się wieźć na strzelnicę.

W podziemiach starego fortu na Czyżynach stanął sam na sam z przeciwnikiem.

– Już po tobie!

Czarna figura Łebskiego oddaliła się zawieszona na ruchomej tarczy, by zatrzymać się na samym końcu niskiej piwnicy. Nawała wziął do ręki uzi – swą ulubioną broń. Spuścił przyłbicę hełmu, zasłonił uszy. Tam, daleko, w półmroku toru strzelniczego czaiła się sylwetka wroga. Wziął głęboki oddech, skoncentrował się i wystrzelał cały magazynek. Gdy huk ustał, z zadowoloną miną włączył mechanizm tarczy, która zbliżała się powoli.

Reżyser Dyjma budził się powoli. Nie, nie była to żadna z tych krakowskich piwnic, z których zrobiono modny lokal czy kabaret. Było zimno i ciemno. Miał kaca oraz zdrętwiałe ręce i nogi. Był też związany. Bolało go podbite oko.

– Hej, hej, jest tam ktoś? – zawołał. – Otwórzcie, muszę do łazienki!

Krzyczał tak przez piętnaście minut, na przemian pełen rezygnacji i z wściekłością, obiecując sobie, że osoba, która go tak urządziła, zgnije w więzieniu. Już on się o to postara. Coraz bardziej chciało mu się pić i stawał się głodny. Gdzie był? W Krakowie czy może poza nim? Kto go uwięził i dlaczego? – starał się intensywnie przypomnieć osoby, które go nie lubiły, ale żadnej z nich nie potrafił przypisać tak okrutnego czynu.

Przez moment wydawało mu się, że nad głową usłyszał kroki. A więc tam była ulica! A już na pewno słyszał gruchanie gołębi. „Gołębie! Mam je umieścić w scenie z uwięzionym policjantem!" – i wtedy przypomniał sobie w każdym szczególe cały wczorajszy wieczór; maszkarony, które go atakowały, zaskakującą jazdę dorożką i walkę w ciemnościach. Uświadomił też sobie, że nie ma go na planie, terminy gonią, grozi kara...

– Jezu, ratunku! Uwolnijcie mnie stąd! – załkał przeraźliwie. – No, gołąbki moje kochane, uratujcie mnie!

Niestety, to mogło się zdarzyć tylko w filmie. A krakowskie gołębie, te prawdziwe, akurat poderwały się do lotu wystraszone przez małego chłopca, który wyrwał się z rąk mamy i śmiejąc się, biegł przez Rynek. Zatoczyły koło nad ratuszową wieżą, doleciały nad miniaturę kościoła św. Wojciecha obok Sukiennic, zawróciły nad jego średniowieczną wieżą i skierowały się na zachód, w stronę Szewskiej. Tam odbiły w bok, ponad dachami, w stronę Plant. Ostatni z gromady z ciepłym, głośnym plaśnięciem wylądował na Plantach. Gdy cztery sekundy wcześniej przelatywał nad dachem kamienicy przy Szewskiej 25, a dokładniej ciemnym podwórzem, na końcu którego straszyła wciśnięta w kąt, niezamieszkana rudera, jakieś czterdzieści metrów poniżej pęcherz znanego reżysera nie wytrzymał.

Rozmaryn nie wytrzymał napięcia, wybiegł z planu serialu i wsiadł do samochodu. Nie ujechał daleko, zatrzymał się przed kioskiem.

– Pani mi da paczkę Marlboro i cały „Super Express".

– Papierosy siedem, gazeta – złoty dwadzieścia, razem... – kioskarka podawała mu, co chciał...

– Co pani mi tu daje? Powiedziałem – wszystkie „Super Expressy"!

– Ale... – spojrzała na zaciętą, znajomą twarz i bez słowa przeliczyła gazety, podając je z trudem przez okienko. Tylko spryt i ciekawość sprawiły, że zostawiła sobie jedną. „Pewnie można coś wygrać" – myślała, przeglądając później pośpiesznie kolorowe strony. Jednak nie natknęła się na żadną grę. Zamiast tego rozpoznała twarz znanego aktora – rogacza, jak opisano go w tym numerze.

Cztery godziny zajęło Rozmarynowi objechanie krakowskich kiosków zanim poddał się z powodu wyczerpania nakładu. Na tylnym siedzeniu samochodu piętrzyły się sterty „Super Expressu" ze znienawidzoną twarzą Łebskiego. Wyjechał za miasto, ułożył gazety w stos i pomagając sobie benzyną, podpalił. Ulżyło mu tylko na kilka chwil. Gdy przygasł żar targany wieczornym wiatrem, za-wył jak ranny łoś, skoczył w popiół, a płomień na nowo buchnął w górę. Rozmarynowi zapaliła się nogawka spodni.

W pensjonacie paliło się światło, domownicy jeszcze nie spali. Ivo zapukał i minęło kilka chwil, zanim otworzył mu wnuczek hrabiny.

– Babcia kazała pana pozdrowić, poszła do siebie. Kolacja jest w kuchni, nasza służąca Rozalia przychodzi tylko na kilka godzin.

Komisarz podziękował i podszedł do stołu. Od kurczaka bił chłód, ale zabrał się za jedzenie ze smakiem.

Atramentowy mrok zaszedł ich od tyłu, od wiekowego sadu, odbierając barwom żywe odcienie. Ściany zszarzały, a półprzeźroczyste wino w kieliszku zmieniło się w nieprzeniknione bordo. Antoś wstał i włączył kinkiety. Zaświeciły złotym światłem; powrócił do lektury. Nad stołem rozbłysnął też kryształowy żyrandol, rzucając na boki kojący blask. Ivo poczuł, że przepełnia go zapomniany spokój rodzinnego domu.

– Podziwiam styl pana ubioru – powiedział.

Student miał na sobie ręcznie malowaną koszulę, a wytrawne oko dostrzegłoby we wzorze kwadraty Malewicza. Lecz nie wymagajmy zbyt wiele od oficerów policji.

– Pan żartuje czy mówi serio?

– Nie mam powodów do żartów. Co pan czyta?

– O zakopiańskim stylu, który będę malował – Antoni pokazał gościowi pisma Witkiewicza seniora. – „W kręgu Tatr".

– Znowu plener?

– Góry są wspaniałe. Gdy tyko będzie ładna pogoda, niech pan wejdzie na Kopiec, widać stamtąd Tatry. Zaraz nabierze pan ochoty, żeby tam pojechać.

– A ten widok? – komisarz wskazał głową na górski pejzaż w hebanowej ramie, z samotną postacią taternika. Zwracał uwagę szczególną intensywnością barw. – To pan namalował? – Nie znając fachowej terminologii, Łebski potrafił tylko określić wrażenie prawdziwości, jakie wywoływał obraz.

– Malczewski – usłyszał w odpowiedzi, – ale oczywiście syn, nie ojciec. Rafał.

Znowu zapadła cisza. Obaj zapadli się w nią, jak w koralowe morze, ciepłe, przyjazne, falujące. Zegar stary, kto wie, może jeszcze pamiętający Moniuszkę, o złotej tarczy, po której wolno poruszały się karminowe wskazówki, wybił kwadrans na ósmą.

– Jest ktoś jeszcze w pensjonacie? – komisarz przerwał ciszę.

– Nie, tylko my.

– A babcia?

– No tak, rzeczywiście...

– Pan tu mieszka sam, z hrabiną?

– Tak, moi rodzice są w Ameryce, wyjechali jeszcze w latach osiemdziesiątych. Wychowywała mnie babcia. Właściwie, to już od dziesięciu lat nie prowadzimy pensjonatu.

– To dlaczego się zgodziliście, żebym tu zamieszkał?

– No cóż, potrzebujemy pieniędzy na farby.

– Rozumiem, mały remont.

– No, niezupełnie.

– Gdy będzie trzeba, zostanę z hrabiną. Mam na myśli pana plener.

– Nie ma takiej potrzeby – gospodarz podniósł się z krzesła. – Przepraszam, już pójdę na górę. Aha, babcia zaczęła partię szachów. Teraz pana ruch. Stoją tam, na kredensie – wskazał kamienną szachownicę. Biały pion stał pośrodku pola.

Łebski podszedł i wziął w rękę jedną z figur.

– Muszą być wiekowe.

– Racja, ponad sto lat. Choć ta gra nie zmienia się od tysięcy. Aha – Antoś wychodził już z salonu – proszę zgasić światło, a u siebie w pokoju zamknąć okno. Zapowiadali burzę. Okiennice są dość sfatygowane.

– Burza? O tej porze roku? – komisarz miał wyjątkowo zdziwioną minę.

Reżyser Dyjma minę miał nieszczególną, siedząc naprzeciwko zamaskowanego porywacza.

– Kim pan jest?

– Studentem.

– Studentem czego?

– Nieważne, ale interesuje mnie sztuka.

– Dlaczego jestem związany, a pan jest w kominiarce?

– Bo to jest porwanie. Czerwone Brygady, talibowie, guerillas i inne obrazowe przykłady.

– Dlaczego? Po co?

– Symbolizuje pan wszystko, czym nie powinien być współczesny film. Cały ten skomercjalizowany pseudoświatek gwiazd i kłamstw na potrzeby zbiorowych złudzeń.

– Ja? Symbolizuję?

– Tak, bo jeszcze kilka lat temu pańskie filmy dało się oglądać. Były interesujące, dawały jakąś nadzieję. A teraz? Zglajchszaltował pan swój talent, rozmienił na drobne, zamiast porządnego kina kręci pan filmy-zapominajki. Nikt o nich nie pamięta, są po to, by zapomnieć. No i jeszcze teraz ten serial w niby-gwiazdorskiej obsadzie. Obchodził się pan po Krakowie z miną pawia, a teraz, proszę, sprowadziłem pana do właściwego poziomu. „Zbójcy!". To miasto jeszcze nigdy nie doznało takiej zniewagi. Biedny Schiller. Pan wymyślił ten tytuł?

– Nie, mój scenarzysta.

– Przynajmniej tyle.

– Ale powtarzam – co ja mam z tym wspólnego? Dlaczego akurat ja mam cierpieć za tysiące, znaczy za tysiące innych, którzy też się skomercjalizowali?

– Padło na pana. Z jednej strony trudno, z drugiej dobrze. Jest szansa na męczeńską śmierć i uwiecznienie w postaci pomnika. Zostało jeszcze kilka pustych placów w Krakowie. Tutaj lubi się pomniki.

– Nie wierzę w to wszystko. Jest pan szaleńcem. Nie można odwrócić biegu historii. Skoro ludzie od czasów „Policjantów z Miami" chcą oglądać takie rzeczy, to inni będą je kręcić. I tego się nie odwróci.

– A czy ja nie jestem człowiekiem? A przecież nie mam najmniejszej ochoty oglądać „Zbójców" Dyjmy.

– No właśnie! Mój serial! Proszę mnie natychmiast wypuścić! Ja mam do wykonania pracę! Ile pan chce pieniędzy? Czego ty, człowieku, właściwie żądasz?!

Zimne, ceglane mury piwnicy przyjęły i tę skargę reżysera. Zdążył się już przebrać w ubranie cuchnące środkiem odkażającym używaną odzież. Zyskał swobodę poruszania się po celi, choć teraz siedział przykuty kajdankami do krzesła. – Czego chcę? Na pewno nie pieniędzy, w każdym razie jeszcze nie teraz, bo przecież utrzymanie sporo kosztuje, nawet jeśli warunki są polowe – słychać było, że się uśmiechnął. – Na początek zrobimy zdjęcie do gazet, a później pogadamy o twojej jedynej drodze postępowania.

Porywacz wyciągnął aparat i skierował obiektyw na twarz Dyjmy, która wyrażała zaskoczenie i rezygnację, wściekłość i bunt albo po prostu nic.

– Nie, proszę o uśmiech, rozumiem, że w tej sytuacji to dość trudne, ale proszę się zdecydować – strofował reżysera porywacz. Błysnęła migawka. – Dziękuję. – Po czym odwrócił jeńca tyłem do drzwi, rozpiął kajdanki i szybko ulotnił się z piwnicy. Dyjma znowu został sam. Zły sen nie prysnął. Wręcz przeciwnie, pojawiła się perspektywa męczeńskiej śmierci i pośmiertnego monumentu. Pomyślał, że ktoś burzy jego budowany latami świat.

Burza rzeczywiście nadeszła tej nocy i rozszalała się nad Krakowem, nie omijając pensjonatu „Róża". Deszcz siekł po okiennicach. Pioruny, zaczajone w górze, co rusz wypadały z chmur, jak pijacy z wiejskiej knajpy – w dużej ilości i niespodziewanie. Komisarz Ivo Łebski siedział, dygocząc w rogu łóżka, z podciągniętymi nogami. Ilekroć błyskawica rozrywała ciemności, zakrywał się wilgotnym od potu prześcieradłem i liczył sekundy do grzmotu. Czasem waliło gdzieś blisko. Wtedy było najgorzej. Czasem grzmociło daleko, łagodnie. Ale słabe to było pocieszenie – burzowe chmury zajęły całe niebo i nie było widać ich końca. W pokoju zrobiło się duszno, ale przecież nie mógł otworzyć okna. Zdenerwował się do tego stopnia, że tatuaż węża owiniętego wokół miecza, który zrobił sobie w więzieniu podczas policyjnej prowokacji, zaczął się odklejać. „Więzienna tandeta – myślał – a zapłaciłem za nią czterdzieści paczek papierosów i tygodniowy przydział papieru do podcierania tyłka". Wspomnienie z więzienia przywołało inne, z dzieciństwa, gdy pozostawiony przez rodziców spędził noc w wiejskim domu. I podczas gdy ojciec przegrywał w pokera ich ładę, on stoczył samotną walkę z piorunem, który niespodziewanie wpadł do izby.

To był zaciekły pojedynek, w którym udało mu się pokonać siły natury. Pozostawił jednak ślad na całe życie. Bał się burzy jak piorun jasny. Przeczyło to też teorii, że nie było wśród policjantów wielkich romantyków, nie licząc tych, którzy piszą wiersze, malują na szkle i robią pacynki po służbie, dla ukojenia nerwów, a potem pokazują to na wystawach po komendach. „Takie informacje absolutnie nie powinny dostawać się do gazet – przekonywał kiedyś na odprawie u Rutynnego. – Jak można budować autorytet dzielnicowego, opierając się na jego włóczkowych robótkach?" Jednak zwierzchnicy mieli inne zdanie.

Znowu wyładowanie na niebie. Błyskawica rozdzieliła się w powietrzu na kilka mniejszych i pokój zalało zimne światło. Za mało, by czytać, za dużo, by zapomnieć o tym, co działo się na zewnątrz.

Nagle latarnia na ulicy smętnie zajęczała pod naporem wiatru, który uderzył też w okiennice. Stało się najgorsze! Futryny jęknęły sękami, jakby przepraszając, że nie wytrzymały naporu wichru, i wpuściły go do środka. Łebski wstał i ruszył dzielnie w kierunku okna, aby je zamknąć. I wtedy stało się coś jeszcze gorszego. Błysnęło i grzmotnęło znowu, a piorun skierował się na Cichą i wpadł do pokoju Łebskiego jak tamten wtedy, czterdzieści lat temu. Zrobiło się jasno jak na finale „Tańca z Gwiazdami" i tylko dzięki przytomności umysłu nasz bohater znowu nie stał się ofiarą swego prześladowcy.

– O żesz ty! Już ja cię potraktuję!

W adrenalinowym szale komisarz rzucił się do szafki nocnej, wyjął swego glocka i zaczął strzelać w kierunku nieproszonego gościa, który miotał się po ścianach, meblach i suficie. Wystrzelawszy cały magazynek, Ivo wskoczył pod łóżko, a piorun, jak zbłąkana, wielka, świecąca osa sam znalazł drogę do okna i wrócił, skąd przyleciał. Łebski, wyczerpany, rzucił się na łóżko i zasnął kamiennym snem.

Przebudzenie następnego dnia nie należało do przyjemnych. Hrabina de Szumiejska miała dwie kule w plecach. Na Cichej ostatni raz policja interweniowała dwadzieścia sześć lat temu, gdy ktoś napisał na dębie „Jaruzelski, nie szalej". Stąd też na ulicy zrobiło się głośno i tłoczno. Sąsiedzi mówili, że ten Antoś od początku wydawał się dziwny, że samotnik i malarz, a więc można się było spodziewać, że zabije hrabinę. Jednak to komisarza Ivo Łebskiego wyprowadzono z pensjonatu w kajdankach. Znowu robiono mu zdjęcia.

Antoś stał odrętwiały w progu domu i patrzył za odjeżdżającymi radiowozami. Chwilę wcześniej Łebski, przechodząc przez salon, zatrzymał eskortę i podszedł do szachownicy, gdzie ktoś wykonał drugi ruch białymi. Postawił czarnego konia przed rzędem swoich pionów i powiedział:

– No, teraz możecie mnie brać.

W znanym pokoju na komendzie czekał na niego Nawała. Nie ukrywał zadowolenia. Z raportu wynikało, że hrabinę zabito z broni, którą miał Łebski. Na dodatek on sam nie mógł się wiarygodnie wytłumaczyć, co zrobił z jednym, pełnym magazynkiem. Bardziej obciążających dowodów nie trzeba było szukać.

– No i co panie komisarzu? Pójdziemy siedzieć.

– My? Żadna to przyjemność dla mnie. Rozumiem, że dla pana.

– Tylko bez żartów. Za chwilę będzie tu prokurator. Bardzo nie lubi policjantów łamiących przepisy. Usłyszy pan zarzuty użycia służbowej broni i zabójstwa. Powinno wystarczyć na jakieś 15 lat.

Łebski nie słuchał. Perspektywa więzienia jeszcze dla niego nie istniała. Myśli zaprzątał mu drobny szczegół. Skoro zabił hrabinę w środku nocy, kto ruszył się jej pionem? Antoś? Albo ona sama musiała zejść na dół jeszcze przed burzą. Ale ruch na szachownicy wyglądał na świeży. Przecież intuicja nigdy go nie zawiodła. No i znał się na tym, grał w szachy od dziecka. Może to któryś z policjantów zabawiał się figurami? „Ruch wykonał morderca!" – wpadło mu do głowy. I wiedział, że się nie myli.

– Co pan ma na swoje usprawiedliwienie?

– Trudne dzieciństwo. Taka linia obrony wydaje się najlepsza. Mam prawo do jednego telefonu. Albo trzech sms-ów.

Nawała parsknął śmiechem i oznajmił, że takie kwestie zdarzają się tylko w filmach, a później, że teraz on zajmie się konsultacją na planie „Zbójców".

– To Dyjma się znalazł?

– Nic mi nie wiadomo o tym, że się zgubił. – Nawała miał zdziwioną minę.

– To dobrze, że znowu kręcą.

Tak, już kręcili, ale szło jak po Gruzie, bo przecież od czasów „Czterdziestolatka" nie powstał w Polsce żaden dobry serial. Teraz też się na to nie zanosiło. Dyjma był ciągle nieobecny, więc jego miejsce zajął drugi, anonimowy reżyser, a ten, po wielkiej awanturze, którą urządziła Fajfusówna, szybko zrezygnował. Usłyszał wiele gorzkich słów o sobie, ale koronnym argumentem było to, że ją może reżyserować tylko Dyjma. Producent rwał włosy z głowy i błagał Rozmaryna, kiedy ten wreszcie raczył pojawić się na planie, żeby wpłynął na swoją narzeczoną.

Aktor z zadowoleniem przejrzał najnowszy „Super Express", jako obowiązkową prasówkę w branży, dopił kawę, przeszedł przez plac z dekoracjami i zapukał do przyczepy Adeli.

– Wyjdź, a pokażę ci, co ten twój glina nawywijał. Zabił staruszkę!

Adela natychmiast otworzyła drzwi i z niedowierzaniem przeczytała artykuł. Potem zmięła gazetę i rzuciła ją Rozmiemu w twarz. Niezrażony wrócił do baru z zadowoloną miną.

– Już wie. Przez godzinę będzie obrażona, za dwie każe sobie podać jogurt truskawkowo-malinowy z wódką, za trzy jej przejdzie, a potem zacznie grać – zawyrokował Rozmaryn i tak też się stało.

Tym razem za kamerą stanął scenarzysta Wielgus, najbardziej obeznany z wizjami artystycznymi Dyjmy. Producent odetchnął, wszystko znowu ruszyło.

– Kamera, akcja!

Z pędzącego samochodu wyskoczył kaskader. Sztuczny kurz wypełnił kadr i po chwili z obłoków wyszedł Rozmaryn, a za nim, w oddali, wybuch wstrząsnął tą filmową krainą, oznaczając, że auto rozbiło się o skały.

– Stać, stać! Co to ma znaczyć? On jest uczesany jakby szedł do komunii! Przecież właśnie uratował się z katastrofy! Charakteryzatorka podbiegła do aktora, zmierzwiła mu fryzurę, wpięła kilka drutów w tył głowy i nałożyła lakier. Rozmarynowi przybyło jakieś 10 centymetrów i niezbyt mądry wyraz twarzy.

– Kamera akcja!

Powtórka. Jednak w obłoku kurzu Rozmaryn pomylił drogę i wyszedł nie tu, gdzie trzeba. Kolejny wybuch wstrząsnął powietrzem.

– Nie, nie, nie! – Wielgus wbiegł w kadr. Rozmi, przecież masz iść w tę stronę, a nie do sracza, co z tobą?

– A nawet gdyby, to co? Odlać się w pracy nie mogę? – zdenerwowany aktor fizjologią starał się pokryć braki warsztatowe.

– Proszę pana, ja chciałem zauważyć, że mamy tylko pięć samochodów do tej sceny, inaczej sponsor się wycofa – producent wykonawczy nerwowo owijał pejs wokół palca wskazującego.

– Wiem ile mamy tych pieprzonych samochodów! – usłyszał w odpowiedzi. – Kamera, akcja!

Podczas kolejnej powtórki wszystko szło dobrze, do momentu, gdy do grającego wściekłość Rozmaryna nie podszedł jakiś facet w galowym mundurze policjanta, z bukietem kwiatów w ręce i nie przedstawił kwestii, której nie było w scenariuszu:

– Dzień dobry, nadkomisarz Nawała. Gdzie mogę znaleźć pannę Fajfusównę? Chciałbym... – niestety, resztę tego, co miał do powiedzenia zagłuszył huk rozbijanego samochodu.

– Ja chyba oszaleję! – poniosło się na planie „Zbójców”, a producent pociągał coś ukradkiem z manierki – Kim jesteś, bałwanie?!

Zanim wszystko się wyjaśniło kurz opadł, kolejny wrak najnowszego Saaba zabrała laweta. Rozmaryn zażądał przerwy, a zdegustowana Adela Fajfusówna, przyglądająca się temu wszystkiemu z baru, kręciła głową i numer do swojego agenta, że ona się wycofuje, taki tu burdel.

– Nie możesz tego zrobić – usłyszała w słuchawce – grozi nam za to spora kara. Poza tym, jeśli się wycofasz, „Cosmo” nie umieści twego zdjęcia na okładce, stracimy kontrakt reklamowy na margarynę, bo kapitał na serial pochodzi z zakładów tłuszczowych, i wreszcie wyciągną na światło dzienne film, który zrobiłaś zanim wyciągnąłem cię z baru topless. Nie wiem skąd, ale go zdobyli.

– No, chyba że tak – usiadła z powrotem nadąsana i też pociągnęła z manierki producenta.

– Proszę pani, ten policjant, który przyszedł z kwiatami, bardzo chciałby panią poznać. – Asystentka planu przyprowadziła Nawałę do baru. Stał jak uczniak, trzymając bukiet w dół.

– A co to za pocieszny miś? – gwiazda parsknęła śmiechem i oznajmiła, że ewentualnie przyjmie tego pana za godzinę, niech podejdzie do przyczepy. W oddali rozległ się huk samochodu rozbijającego się o skały.

Nawała był bliski omdlenia. Wreszcie ją pozna! Nawet jeśli miałby tu siedzieć do rana. Wzruszenie nadkomisarza było wręcz filmowe. Posadzony przez asystentkę na plastikowym krzesełku, które jęknęło pod jego ciężarem, chwycił tę samą manierkę co reszta, pociągnął z niej solidny łyk i dochodził do siebie przysypany filmowym pyłem, który akurat przywiał wiatr.

Scena się udała, piąty samochód ocalał.

Wreszcie udało się połączyć z nadkomisarzem Rutynnym z Komendy Stołecznej.

– Ivo, co tam się stało?

– Mówiłem, po cholerę ten wyjazd?

– Kto narozrabiał? Ja? I tylko nie mów mi, że to z powodu depresji związanej z przenosinami. Przecież Kraków to takie imprezowe miasto.

– Imprezowe? To wpadnij teraz do mnie.

– Od początku ci nie szło, co? Najpierw romans z tą aktorką, a teraz zabójstwo. Czyś ty oszalał? Żeby walić do jakiejś babci ze służbowej broni?

– Jaki romans? Jaka staruszka? Czy ty w to wszystko wierzysz? Fajfusówna jest głupia jak baran, a staruszkę nie ja zabiłem, mam dowody.

– Przecież strzelałeś!

– Tak, ale do pioruna!

– Do pioruna, do czego?!

– Dobrze słyszałeś, do pioruna. Siedem kul jest w ścianach mojego pokoju, dwie pozostałe w piorunie. Wystarczy tylko go odnaleźć i po sprawie. Pomóż mi, wyciągnij mnie stąd!

– Co to za bajki?

– Żadne bajki, musisz tylko przestawić się na inne myślenie. Mówiłeś o Krakowie, tak? W każdym przewodniku pierwsze zdanie zaczyna się od tego, że to miasto magiczne. To jest klucz do zrozumienia wszystkiego, co się tutaj dzieje!

Odpowiedziała mu cisza. Rutynny zastanawiał się nad kolejami losu swego najlepszego oficera. Błyskawiczna kariera, później sprawa z tą dziew-

czyną, Agatą, a teraz wyglądało na to, że zwariował.

– Jak sobie wyobrażasz poszukiwania pioruna?

– Uwierz mi, nie ja ją zabiłem. Ktoś był w pensjonacie tamtej nocy. Burza mu pomogła. Muszę
wyjść, inaczej nikt mi tu nie pomoże. A poza tym,
gdybyś widział hrabinę poprzedniego dnia, wyglądała jak nieżywa... Na pewno ktoś jej groził, ale
tego już się od niej nie dowiemy.

– Starsi ludzie tak mają, nie wiesz? Są jak baro-
metry. Mnie też na zmianę pogody zaczyna łupać
w kolanie.

– Coś mi tu śmierdzi. – Łebski spojrzał na wię-
zienną mortadelę, której nie tknął na śniadanie, bo
już rano wydawała mu się przedwczorajsza. – To
jak będzie? Wyciągniesz mnie stąd?

– Jak? Musiałem im wysłać twoje akta, a sam
wiesz, co w nich jest.

– Czekam, po prostu czekam, nie chcę słyszeć,
że nie.

– No dobra, już koniec, i tak na zbyt wiele po-
zwoliłem – strażnik przerwał połączenie.

Już miał go odprowadzić z powrotem, gdy na
ekranie telewizora w wartowni pokazała się Fajfusówna.

– Jeszcze chwilę, tylko ją zobaczę.

– A, to ta aktorka, która u nas kręci? – strażnik
też był ciekawy.

– Czy była Pani kiedykolwiek zakochana w innej kobiecie? Po wywiadzie dla jednego z miesięczników tyle się o tym mówi.

– A pan? – zwróciła się ze śmiechem do przepytującego ją dziennikarza.

– Skoro nie chce pani odpowiadać, zapytam o sztukę. Podobno pani się nią interesuje?

– Tak, przecież film jest sztuką. Ale sztuka to też rzeźba, malarstwo. Na przykład mam w domu albumy Marchlewskiego i Matejki.

– Marchlewskiego?

– No tego, z Krakowa...

– Chyba Malczewskiego?

Znowu śmiech.

– A tak, rzeczywiście. Dostałam je od kogoś. Bardzo mi się spodobały te obrazy.

– Ojca czy syna?

– Pan się modli? – roześmiała się Fajfusówna. – No, w imię ojca i syna... – odpowiedziała na zdezorientowaną minę dziennikarza.

– Nie, pytałem, którego z malarzy.

– Nie wiem – śmiała się. – Jak sprawdzę, to panu powiem.

– Ale fajna laska – powiedział strażnik, zanim pchnął Łebskiego w stronę drzwi.

2

Nadkomisarz Nawała rzucił bukiet nadwątlonych róż na biurko. Kwiaty upadły na teczkę z aktami Łebskiego, więc zauważył ją dopiero później. Był zły. Służbowy koniak uspokoił nerwy, ale gdy jego wzrok padł na zdjęcie Adeli Fajfusówny, musiał sobie nalać drugi raz. Zakpiła z niego, a on tak się starał!

Tam, na planie, czekał cierpliwie, aż pozwoli mu ze sobą porozmawiać. Zrobiło się popołudnie, potem wieczór, zapadł zmrok, zrobiło się pusto. Ponieważ bar był już zamknięty, nadkomisarz podszedł do drzwi aktorki i zapukał. Wiedział, że jest w środku, ale nie odpowiedziała. Wtedy do przyczepy podeszło kilku młodych mężczyzn. Śmiejąc się, uderzali pięściami w jej ściany. Rozhuśtali ją. Żartowali i pokrzykiwali, a ich wyszkolone, aktorskie głosy niosły się po wielkim placu.

– A ten, to kto? – Nawała został zauważony. Przytomnie wycofał się wcześniej pod drzewo, jednak na darmo.

– Patrzcie, w mundurze! Z kwiatkami!

– Adelo, wychodź, zobacz, masz tu kolejnego amanta!

Wepchnęli go między siebie i obracali jak odpustowe dziwadło.

– Nie znam kolegi, po jakiej szkole?

– E, to jakiś starszy rocznik, nie widzisz?

– Zakochał się! Patrzcie jak się czerwieni.

Teraz z zażenowaniem wspominał tamtą chwilę. Sponiewierano nie tylko jego, ale także mundur i symbole państwowe. Nie wiedział, dlaczego nie potrafił odezwać się jakoś sensownie, a nie „Panowie, przestańcie", „To nie tak, proszę mnie puścić, jestem policjantem".

– Policjantem? – ryknęli śmiechem – przecież widać, że to kostium i to dość kiepsko zrobiony.

Wtedy otworzyły się drzwi przyczepy i piękna Fajfusówna odwróciła uwagę młodych od nadkomisarza. Miał nadzieję, że wyjaśni pomyłkę, przecież wiedziała kim jest. Ale nawet nie spojrzała w jego stronę. Oni zaś porwali ją ze sobą, wpakowali się do samochodu i odjechali.

Jeszcze jeden koniak. Pomimo upokorzenia nie zamierzał rezygnować, a odwagę napędzały gwiazdki na butelce. Wzrok Nawały zatrzymał się na teczce z dokumentami. „Łebski! Tylko on mi może pomóc!". Podejrzana chytrość wystąpiła na jego twarzy razem z nadzieją na miłosne spełnienie. Wydało mu się nawet, że sprawy mogą się teraz potoczyć tak szybko, jak to bywa w serialach, gdy pod koniec odcinka wszyscy się do siebie uśmiechają.

– Dawać mi tu tego Łebskiego!

– Panie nadkomisarzu, to nie jest zgodne z regulaminem – oficer dyżurny był zdziwiony późną porą przesłuchania.

– Tak, wiem, dlatego nie wpisujcie tego do książki. To jest pozasłużbowe polecenie.

Po dziesięciu minutach Ivo siedział w znajomym fotelu, zastanawiając się, jak wszyscy wokół, czego chcą od niego o północy. Żadnych narzędzi do szybkiej spowiedzi nie widział, tylko doskonale znaną teczkę ze swymi aktami. „A więc już wiedzą".

„W ciągłym utwierdzaniu się poniesienia śmierci w walce, w swych myślach, stań się już za życia martwy" – przypomniał sobie fragment starej, japońskiej *Księgi samuraja*, do której często odwoływał się jego nauczyciel sztuk walki.

– Jak się panu u nas podoba?

– Do rzeczy, nadkomisarzu, nie będziemy się bawić w takie gierki. Nikomu to nie jest potrzebne.

– Racja. Wyjaśnię, o co mi chodzi od razu. A mówię to tylko panu, bo tylko pan może mi pomóc. – Pytające spojrzenie Łebskiego sprawiło, że ciągnął dalej. – Przyjechał pan tutaj kilka dni temu, znalazł się na planie serialu, poznał aktorkę Adelę Fajfusównę. Muszę zdradzić, że jest podejrzana o kradzież dzieł sztuki. Oczywiście to tajemnica służbowa. Śledztwo prowadzę ja. Muszę się dostać do Fajfusówny jak najbliżej, niestety nie jest to proste. A dotychczas udało się to w szybkim tempie tylko panu. Niech pan nie zaprzecza, przecież gazety pisały.

– Mam ją rozpracować?

– Co to, to nie! – Nawała roześmiał się. – Przecież nie mogę cię stąd wypuścić! – I zaraz spoważniał: – Pogadajmy jak mężczyzna z mężczyzną.

Ivo milczał i spoglądał na Nawałę, nie wiedząc jeszcze gdzie jest plus, a gdzie minus i o co chodzi.

– Jak to robisz?

Łebski spojrzał z niedowierzaniem na człowieka siedzącego naprzeciwko. Sytuacja wydała mu się tak nierealna, że nie pomagała nawet formuła „Kraków – miasto magiczne". Nie mógł uwierzyć w większość słów Nawały, a już na pewno nie w tę bajeczkę o kradzieży obrazów. A może jednak? Fajfusówna? Znał ten typ atrakcyjnych babek – uroda dawała im wielką pewność siebie, ale odgradzała od reszty świata, windowała w swego rodzaju strefę bezcłową, gdzie wyobrażały sobie, że mają wszystko za niewielkie pieniądze. Bo piękno jest dobre, na co łapała się większość, ale nie taki szczwany lis jak on, Łebski. Tak, Fajfusówna była piękna, ale w jej oczach czaiło się coś prymitywnego, coś, co mogło popchnąć nawet do przestępstwa. A może jednak to prawda?

– Napijmy się. Bardzo mi zależy na rozwiązaniu tej sprawy jak najszybciej – Nawała częstował koniakiem. – Nawet nie wiesz, ile co roku w Krakowie ginie dzieł sztuki, to nasze priorytetowe działanie. A ona, ta Fajfusówna, jest kluczem do zagadki.

I właśnie wtedy, gdy szybkie, jednostronne przejście na „ty" zaczęło go drażnić, Łebski rozgryzł Nawałę. I zamiast poważnego oficera policji kryminalnej zobaczył zagubionego na przerwie w podstawówce otyłego chłopca o rzadkich, przetłuszczonych włosach, z pryszczami na nosie, potrącanego przez innych i niezauważanego przez dziewczynki. „Przecież on nadal taki jest! – dotarło do Łebskiego. – Może z wiekiem trochę zmądrzał, zna swoje szanse, ale nadal wzdycha do najładniejszych w klasie, jest romantykiem, na pewno pisze wiersze i pod pseudonimem publikuje je w gazetkach na komendzie".

– A więc, jak będzie? Pomożesz mi? Powiesz jak mam postąpić z Fajfusówną?

– Zacznijmy od kajdanek, ileż mogę w nich siedzieć? – Nawała zawahał się, ale rozkuł aresztanta, który rozcierał podrażnione przeguby rąk. – Napisz do niej list.

– Co? List?

– Tak, miłosny list, w którym wyznasz wszystko i poprosisz o spotkanie.

Rozmaryn szybkim krokiem wyszedł z hotelu Cracovia, jakby śpieszył się na jakieś spotkanie. Skręcił w lewo, ulicą Piłsudskiego dotarł do Plant, na Gołębiej wstąpił do jednej z knajpek – szybka degeneracja dwiema wódkami – potem Bracką w lewo, przeciął Rynek i przechodząc przez coraz mniej ludne ulice, prześlizgnął się na czerwonym tuż przed ruszającymi samochodami na drugą stronę miasta. Był na Kazimierzu. Krakowską do przodu, później w lewo, na Józefa. Zdawało mu się, że to gdzieś tutaj... Wyjął z kieszeni kartkę papieru, coś z niej przeczytał i powtarzając pod nosem adres, ruszył dalej wzdłuż ulicy.

Było już ciemno. Okna restauracji rzucały na chodniki ciepły blask, a przez co rusz otwierane drzwi wylewał się gwar podniesionych głosów. Właśnie wybiła dziesiąta. Dzielnica tętniła życiem na głównych traktach. Rozmaryn omijał roześmiane grupy turystów albo wbijał się klinem w miejscowych, których rozpoznawało się po tym, że niechętnie schodzili z drogi. Tam gdzie gwaru było mniej, zauważał przytulone do siebie pary albo małe grupy tych mniej zamożniejszych, raczących się na powietrzu. Większość zaś uprawiała tu jedyny w swym rodzaju, krakowski rodzaj turystyki: od knajpy do knajpy, aż zmęczenie albo pragnienie zmusi do zasiadania pod melancholijnie żarzącą się lampą i studiowania jadłospisów.

Rozmaryn zadarł głowę. Nareszcie! Ulica Ciemna. Po kilku krokach znalazł numer 5 i bez wahania wszedł w bramę.

Na klatce nie był nikogo. Czuł wilgoć, zapach próchniejącego drewna i kocich odchodów, drażniący i intensywny. Wchodził ostrożnie na górę, nie zapalając światła. Oczy szybko przyzwyczaiły się do ciemności. Mieszkanie numer trzy, cztery, pięć. Był na miejscu.

Na pewno nie przyszedł tu do siebie ani w gości, bo nie zapukał ani nie szukał po kieszeniach płaszcza kluczy. Wycofał się tylko na półpiętro i schował za okienną futryną. Tak przyczajony stał kilka minut. Nasłuchiwał. Na górze grał telewizor. Z dołu dobiegał czasem podniesiony, wesoły kobiecy głos. Ulicą przeszła od czasu do czasu hałaśliwa grupa. Poza tym – nic.

Wrócił pod drzwi z numerem pięć. Przyłożył ucho do zimnego drewna. Z mieszkania nie dochodziły żadne dźwięki. Rozmaryn nacisnął klamkę, ale ani drgnęły. Pchnął skrzydła drzwi raz i drugi, lecz nie puściły. Gdyby spróbował sforsować je siłą, narobiłby za wiele hałasu. Wrócił na półpiętro, otworzył okno i spojrzał w dół, a potem w bok. Przed oczami ujrzał drogę.

Gdyby ktoś z mieszkańców kamienicy akurat wtedy znalazł się na ciemnym podwórzu albo ciekawski turysta, zachęcony lekturą przewodników penetrował przypadkowe zaułki, właśnie w tym momencie spojrzałby w górę, dostrzegłby zarys postaci. Na gzymsie wiekowego domu, po zmierzchu, każdemu jest do twarzy, a co dopiero takiemu przystojniakowi jak Rozmaryn! Ale nikogo na dole nie było. Ciemna postać poruszała się ostrożnie w kierunku nieoświetlonego balkonu. Czy aktor Pietrzykowski obeznany z literaturą dramatyczną, odgrywał rolę Romea? Był Muszkieterem, hrabią de Valmont? Dzielnym Zorro? Nie, bo pod piątką nie czekała Julia w bieli ani nawet prawy człowiek jęczący z bólu od ran zadanych na torturach.

Rozmaryn stanąwszy bezpiecznie na balkonie, łokciem rozbił małą część dzielonego okna, otworzył je i zniknął za firankami. Po kilku minutach wyszedł już po europejsku, nie niepokojony wyrzutami sumienia ani czyjąkolwiek obecnością. Wmieszał się w uliczny tłumek i kilkadziesiąt metrów dalej, zachęcony reklamą starej, żydowskiej knajpy, z wesołą miną wstąpił na niejednego.

„Niejedno mogło mi się przytrafić – rozmyślał uwięziony Dyjma – ale coś takiego? Trzeci dzień w zamknięciu. Ile to jeszcze potrwa? Przecież żądania porywacza są niedorzeczne. Mam zmienić koncepcję artystyczną serialu i odnowić kino autorskie w Polsce?" Nie znał takiego producenta, który by na to poszedł. „I to w porze największej oglądalności! Nikt z widowni nie przestawiłby się na interesujące ujęcia, aktorów bez charakteryzacji i mądre dialogi".

– Pan jest nienormalny! – krzyknął do porywacza, podczas ostatniej rozmowy.

– Proszę się liczyć ze słowami, w końcu jest pan ode mnie uzależniony. I na razie tak pozostanie, dopóki nie rozwiążemy sprawy.

– No dobrze, zgadzam się – powiedział bez namysłu reżyser. – Jeśli tylko wyjdę na wolność, wcielę w życie pańskie idee.

Miał rację ciągle ukrywający się pod maską porywacz, by nie wierzyć w tę pochopnie złożoną deklarację. Zbyt łatwo poszło. Gwarancją miało być zrzeczenie się reżyserii „Zbójców" w ich dotychczasowej formie na piśmie, a także pisemna zgoda producenta na realizację innego scenariusza.

– Jakiego? – zapytał zdziwiony Łayza.

– Tego! – Na stole wylądował gruby skrypt, który po otwarciu okazał się scenariuszem filmu. – Ma pan cały wieczór na zapoznanie się z nim.

Z reklamówki „Delikatesy Złoty Róg" porywacz wyjął prowiant i wodę. Odwracając z obrzydzeniem głowę, opróżnił kubeł z nieczystościami, wrócił do celi Dyjmy, który próbował go ogłuszyć krzesełkiem, lecz ta żałosna próba uwolnienia skończyła się niepowodzeniem. Reżyser, nieobeznany z samoobroną, wylądował twarzą w kuble i przeprosił grzecznie, obiecując, że więcej takich sztuczek robić nie będzie.

Po kilku godzinach porywacz powrócił.

– Muszę przyznać, że jestem pod wrażeniem scenariusza. To pan go napisał? – próbował przypodobać się Dyjma.

– Tak, dziękuję.

– Naprawdę, świetnie rozpisane role, szczególnie męska, pierwszoplanowa. Pan jest aktorem? Scenarzystą?

– To nieistotne kim jestem. No, to jak będzie? Zrobi pan z tego film?

– W innych okolicznościach, z dużą przyjemnością. Ale teraz nic z tego. Nie mogę go zrealizować, jest zbyt ambitny. Nie sprzeda się nigdzie.

– No, to mamy jeszcze sporo czasu przed sobą. Przypominam, że idzie zima, a w tej piwnicy nie ma ogrzewania.

„Zimno – pomyślał Łebski – dobrze, że wziąłem ciepłe rzeczy". Miał trochę czasu, zanim rano odkryją, że uciekł z komendy.

To nie było trudne. Nawała poddał się jak dziecko. Przykuł go więc kajdankami do fotela, związał, zakneblował usta i dopił koniak. Później, z podniesionym kołnierzem płaszcza i kaszkietem Nawały mignął tylko na wartowni. Złapał taksówkę i kazał się wieść do „Róży".

Teraz w pensjonacie stał przed szachownicą i analizował kolejny ruch. Ktoś z nim grał! Ale kto? Przecież hrabina nie żyła! Bezruch wnętrza domu wskazywał też na nieobecność Antoniego. Ani kurtki młodego panicza, ani butów do chodzenia po górach też nie było. To znaczy, że pojechał w góry, w plener, jak zapowiadał. Ivo, zanim przeniósł ostrożnie szachownicę na stół, włączył światło i rozpalił w kominku.

Goniec otworzył drogę do roszady. „To powinno dać do zrozumienia temu komuś, że choć posunięcie jest zachowawcze, to jednak panuję nad sytuacją". I wtedy dopiero zauważył, że na ścianie nad kredensem brakowało obrazu. „Nar... Mar... Nal... Malczewski!" Na ścianie nienaturalnie jaśniało miejsce po obrazie. Były różne wytłumaczenia. Albo młody student oddał gdzieś obraz, może sprzedał, albo wziął ze sobą w plener, tylko po co? Albo, co gorsza, pod ich nieobecność miało miejsce włamanie do pensjonatu. Łebski postanowił obejść parter i piwnicę. Po chwili znalazł w kuchni coś niezwykle interesującego – popękaną szybę, oczywisty ślad po nieproszonych gościach. „To dlatego w całym domu tak zimno, bo przeciąg. Ciekawe, czy obraz był ubezpieczony, bo jeśli nie, to Antoni się zapłacze". Łebski poszedł na górę po swoje rzeczy i korzystając z nieobecności domowników, nacisnął klamkę pokoju Antoniego.

Uderzył go intensywny zapach terpentyny, czegoś chemicznie pożytecznego, więc Łebski nie kręcił nosem. Ponieważ czuł się jak włamywacz, nie włączył światła, zresztą, nie było to konieczne. Latarnia od ulicy dostatecznie oświetlała pokój. Wszędzie były obrazy: oparte o ściany, wiszące, na sztalugach. Abstrakcje, pejzaże, portrety. Łebski przyglądał się temu stadu pigmentów intensywnie, bo też malunki działały na niego w ten właśnie sposób. Pojedynczo i wszystkie naraz. Absolutnie nie był naturą artystyczną, wprost przeciwnie, raczej żołniersko-techniczną. Czuł się tutaj jak ameba wśród wyższych form życia pływających w morzu. Trzeba jednak przyznać, że to talent młodego Szumiejskiego wytrącił go z tej politechnicznej równowagi i to na długi czas. Ivo stał pośrodku pokoju, robiąc ryjek z ust i czasem nawet cmokał, przyglądając się dziełom. Później przejrzał ostrożnie płótna, które pozastawiane były innymi. I tam natrafił na coś, co zwróciło jego szczególną uwagę. Na tym obrazie Łebski dopatrzył się czegoś na kształt stada antylop galopujących przez skrzyżowanie i postać ubraną w kolorowe, długie szaty - może plemiennego szamana - odprawiającą jakieś rytuały? Czy antylopy uciekały od tej postaci, czy były przez nią totemicznie czarowane? Płótno wydawało się dość świeże, Ivo pobrudził sobie palce farbami. Wyjął chusteczkę z kieszeni i czyścił właśnie pazury, gdy usłyszał zajeżdżające pod pensjonat samochody. „To pewnie Nawała z ekipą. Nic tu po mnie".

Usłyszał jeszcze walenie do drzwi, później szybkie kroki okrążające dom. Na szczęście był szybszy; zbiegł do garażu, zanim tamci znaleźli się w środku, uciekł przez ogród, rozpływając się w czarnej, krakowskiej nocy.

Antoni wracał znad Czarnego Stawu, a stare świerki kłaniały mu się targane niespokojnym wichrem, który obudził się wysoko na turniach i teraz, szarpiąc konarami, strącał w dół, na drogę, zielone gałęzie. Szedł momentami po miękkim, zielonym dywanie, jak wyjątkowy gość. Szyszki i igły spadały na ziemię, konary grały sękowe symfonie, a on pogwizdywał z zadowolenia. Miał nawet wielką ochotę wyjąć szkicownik i jeszcze raz, choć tyle utrwalić z tego porywającego dosłownie i w przenośni widoku, ale wiatr porwałby mu również kartki. Do tego zaczęło padać. Wysoko w górze widać było jak w niespokojnym powietrzu mokre wzory wodnych tapet wicher gnał bez celu przed siebie, na skos, zawracał je, kręcił i zmieniał konfiguracje.

Antosiowi nie było dość trzech dni nad Czarnym Stawem i malowania kobaltowej wody, mieniącej się dziesiątkami odcieni, ale rzeczywiście czas było wracać. Miał szczęście, gdyż słońca mu nie zabrakło, a ono ożywiało krajobraz wokół stawu, a głównie wodę. W zachwycie oka i rześkim omamieniu górskim powietrzem przenosił wrażenia na akwarele i szkice, żałując trochę, że nie wziął farb olejnych, które lepiej oddałyby odcienie górskiego jeziora. Ale oleje nie nadawały się do szybkiego malowania, które teraz ćwiczył. Od marengo, jasnego odcienia czerni, którą zabarwione były granity pchające się z gór do zimnej kąpieli i tracące połysk szafirowej dostojności właśnie pod wodą, dalej, przez stalowe powierzchnie nieruchomej wody, po antracytowe pobłyski tworzące się na jej powierzchni o szczególnej porze dnia, gdy promienie znad Małych Rysów, rozszczepiając się na skałach wysoko w górze, osłabione i okaleczone, wpadały wprost do jeziora, tworząc na nim oślepiające refleksy, to wszystko zajmowało go do głębi faktury kolejnych obrazków. Przeważnie atramentowa toń wody, nie niepokojona, trwała w swym dostojeństwie jak ołowiane skały wkoło, a Antoni od intensywnego wpatrywania się w krajobraz doznawał nawet wrażenia, że barwy, które go otaczały, wydawały zapachy. Hebanowy w odcieniach las, strażnik tajemnicy gór, nieprzenikniony, oszukujący wzrok nieprzebytą palisadą, pachniał więc ciepłem i tajemnicą, jakby z ciemnej czeluści wiejskiego pieca buchnęła słodka woń pszennego chleba. Zaś od szaroburych skał Mięguszowieckich turni, które miał za plecami, a które wpadały do nieodległego Morskiego Oka, wiatr przywiewał niespokojny zapach zimnej, prawiecznej wilgoci, niepokoju zrodzonego w otchłani czasów, gdy góry te, smętni, groźni i kapryśni panowie, prawdziwi gospodarze okolicy, wstawały ze swych łoży, aby zawładnąć okolicą.

„Jak mam malować – zastanawiał się – skoro barwy ani nie żyją dla siebie, ani nie są dla wszystkich takie same. Wszystko to wrażenia, aberracje wzroku. Pozostaje tylko dochować wierności temu, co albo jak widzę. „Nieunikniona modalność widzialnego, co najmniej to, jeśli nie więcej pomyślane poprzez moje oczy.... Ale co jest dalej?".

Przed oczami stały mu wciąż atramentowe smugi na wodzie wzruszonej lotem ptaka... Mieniła się chwilę przebłyskiem purpury, by znowu zapaść w uśpioną czerń... Wrażeń były setki, czasu jak zwykle mało. Antoni śpieszył się na autobus, który miał go zawieźć do Krakowa.

Tymczasem krakowska policja rozpoczęła poszukiwania reżysera Dyjmy. Ani rodzina, koledzy, przyjaciele, ani nikt go nie widział. Dozorca domu wzruszył tylko ramionami, mówiąc, że on w godzinach wyjść i powrotów znanego artysty zazwyczaj śpi. Ostatnie znane miejsce pobytu – kawiarnia „Zwis", później ślad się urywał.

W mieszkaniu na Ciemnej zauważono interesujący ślad – włamanie. Ale co zginęło? Tego nikt nie potrafił wskazać. W mieszkaniu panował bałagan zrobiony najprawdopodobniej przez samego właściciela. Śledczy nakarmili rybki i zaplombowali apartament, rozesłali do posterunków zdjęcie zaginionego, a w środowisku aktorów zainstalował się młody oficer, który miał wyszukać ewentualnych wrogów reżysera.

„Zbójcy" kręceni byli nadal, ręką scenarzysty Wielgusa. Niestety, nic nie szło jak trzeba. Wydało się bowiem, że plotki o nieporozumieniach pomiędzy nim a reżyserem, które krążyły jeszcze przed rozpoczęciem zdjęć, to prawda. I teraz wizja scenarzysty, nie reżysera, wzięła górę, a była to spora góra. Film zamiast błyszczeć niespodziewanymi zwrotami akcji, co było cechą mistrza, zaczął grzęznąć w psychologicznych zawiłościach charakterów.

A z tym trudności było co niemiara, bo ze sceny na scenę nieszkoleni do takich zadań aktorzy przybierali pretensjonalne albo głupkowate miny. Trzeba jednak ich zrozumieć – jak zagrać, że „na jego twarzy malował się dramat niechęci do ojca, wspomnień z dzieciństwa na plebanii i wyrzutów sumienia, po przejechaniu jelenia"? Nic dziwnego, że kręcili nosami. Ale cóż było robić? Dostali kolejną wersję scenariusza i musieli zakuwać od nowa. Część z nich pogodziła się dość szybko ze zmianami, część jednak, a wśród nich Fajfusówna i Rozmaryn, klęli na całe gardło, odmawiając scenarzyście Wielgusowi jakichkolwiek zdolności i prawego pochodzenia.

– No, nie, co to jest?! – Rozmaryn z wytrzeszczonymi oczami spoglądał na scenariusz. – Mam zagrać przerażenie plecami? Kręgosłupem czy tyłkiem, za przeproszeniem? – pieklił się w barze, a wtórowała mu narzeczona.

– Skreślił mi tę wspaniałą, rozbieraną scenę! A ja specjalnie od tygodnia chodzę na solarium! Nie będę grać w tym serialu!

Nadkomisarz Nawała, który codziennie stawiał się na planie, też żałował, i to bardzo, liczył bowiem, że uda mu się jakimś cudem asystować Adeli w tejże scenie. Jego rola, która dotychczas ograniczała się do siedzenia na barowym stołku i szukania okazji do rozmowy z Fajfusówną, nie zmieniła się znacznie. Zaledwie raz aktorka zapytała zadu-

rzonego w niej policjanta, jaki jest numer na info-
linię z butami. Nie wiedział.

– Dlaczego dzwonisz do mnie o tej porze? – Rutynny przecierał oczy ze zdumienia, wkładając na
nos okulary. – Wypuścili cię?

– Nie, sam się wypuściłem.

– Jak to sam?

– Uciekłem im.

– No, to sprawa jest poważna – wstał z łóżka,
szukając w ciemnościach bamboszy.

– Coś tu się dzieje w tym Krakowie. Nie wiem
jeszcze co, ale muszę to rozwiązać. Posłuchaj, to
z gazety. „Warszawski policjant podejrzany o zbrodnię kradnie drogocenny obraz". Będziesz to miał
w dzisiejszym „Expressie". Przeczytasz tam też,
że podejrzany zanim skradł obraz uciekł z aresztu, groźnie raniąc przesłuchującego go wyższego
oficera.

– Znowu do kogoś strzelałeś?

– Do nikogo! W związku z tym nikogo nie zra-
niłem, chyba że dumę twojego kolegi, Nawały. Nie
ukradłem też żadnego obrazu. Poza tym podtrzy-
muję to, co już wiesz. Nie strzelam do staruszek,
a tym bardziej do znajomych mojej rodziny. No
i ktoś ze mną gra w szachy! – Łebski zdawał sobie
sprawę z mętności tego wyznania, ale był mocno
poirytowany.

– Dobrze, załóżmy, że ci wierzę. Ale nie wyjaśnisz nic, działając w pojedynkę, a tym bardziej, gdy cię szukają.

– Dlatego proszę, żebyś zadzwonił do Nawały i powiedział, żeby pozwolili mi na własne śledztwo. Przez cztery dni. A jeśli w ciągu tego czasu nie uda mi się wyjaśnić tych zagadek, sam się zgłoszę i mogą wtedy robić ze mną, co chcą.

Rutynnemu zawsze podobały się metody pracy Łebskiego, choć otwarcie nigdy tego nie przyznał. On sam pozbawiony był operacyjnego szaleństwa, które z tamtego robiło nieustraszonego glinę. Zdawał sobie z tego sprawę i teraz też poczuł to ukłucie zazdrości, choć była minuta po wpół do szóstej rano. „Ja nigdy tak nie postąpię, a przecież bym chciał". Na usprawiedliwienie trzeba dodać, że zajmował ważne, odpowiedzialne stanowisko. Nudne, ale niezbędne. Żeby poznać pracę swoich podwładnych, często oglądał telewizyjne seriale o policjantach, do czego nigdy się Łebskiemu nie przyznał, a do czego Ivo nigdy się nie zniżył. Wysyłając go do Krakowa, wiedział, jak mogło go to rozdrażnić. Ale było elementem swoistej pokuty za ostatnią sprawę, z której musiał go wyciągać.

– Dobrze, spróbuję to załatwić. Choć domyślasz się, że to niełatwe. Oni chyba cię tam nie lubią. Poza tym sprawa jest pozasłużbowa i wymaga cierpliwości.

– Uff, dziękuję ci.

– Ale pamiętaj, to ostatni raz. I nie rób żadnych głupstw do tego czasu.

Wybiła szósta. Jesienne słońce wyjrzało znad Nowej Huty, a pierwsze promienie, odbijając się od okien najwyższych pięter krakowskich kamienic, dotarły niżej, na ulice budzącego się miasta. Oddech parował jeszcze nocnym chłodem. Ptaki na Plantach podniosły wrzawę razem z „jedynką" na Salwator. Tramwaj niespowalniany samochodowym ruchem żwawo pędził od Grodzkiej. Rozmaryn Pietrzykowski postawił kołnierz płaszcza, wzdrygnął się i zmrużył oczy od żółtego blasku. „Znowu się spłukałem, a tak dobrze mi szło". Wypadki ostatnich godzin w pokoju hotelu Radisson, gdzie urządzono szulernię na wysokie stawki, doprowadziły go do wyczerpania finansowego i fizycznego.

– Czy wszystko w porządku? – recepcjonista był zatroskany, widząc zszarzałą twarz znanego aktora. Wydawało się, że zaraz zasłabnie. – Kawy?

– Nie, dzięki, poradzę sobie.

Rozmaryn skinął na taksówkę, która akurat przejeżdżała przez Planty. Gdy wsiadł, uświadomił sobie, że jest bez grosza.

– To będzie kurs na koszt państwa. Albo dam panu autograf – taksówkarz odwrócił się do niego ze złą miną.

– Na koszt państwa to pojedziesz na cmentarz. A podpisać to mi się możesz na tyłku. Won z wozu!

Rozmi skierował się na przystanek tramwajowy, rozmyślając, skąd weźmie pieniądze do przyszłego wtorku, żeby się odegrać. Stracił ponad czterdzieści tysięcy. Żeby znowu wejść do gry, musiał mieć co najmniej dziesięć. „Trzeba będzie znowu coś sprzedać, ale co?".

Grał, bo jak mu powiedział profesor w szkole teatralnej, „Aktor musi grać! Aktor gra cały czas!" W jego przypadku były to: wyścigi konne, totolotek, karty, seriale, golf na poziomie amatorskim, squash, gitara, piłka nożna, siatkówka plażowa, gry komputerowe, a na początku kariery ogony w teatrze. „Sądziłem, że jako aktor będę zarabiał tysiące, a tylko dokładam do interesu".

Dotarł do hotelu, nastawił budzik na ósmą i zasnął ciężkim snem, z którego wyrwała go asystentka planu „Zbójców".

– Dlaczego nie ma pana na planie? Wszyscy czekają.

„Za dużo pytań, za mało odpowiedzi. Kto ukradł Malczewskiego? Kiedy uda mi się spotkać z Fajfusówną? Gdzie jest Łebski? Czy reżyser Dyjma żyje?" – Nawała był zły. Od czasu pojawienia się tego oficera z Warszawy sprawy nie szły za dobrze. W dodatku komenda huczała od plotek, że to on sam pozwolił mu zwiać. No i jeszcze ten dziwny telefon z Warszawy, w którym obiecał, że pozwoli mu działać bez żadnych przeszkód przez cztery dni. Zgodził się na to tylko ze względu na starą znajomość z Rutynnym. Był mu winny przysługę.

– Sprawa jest delikatna. Ten Łebski ma plecy w Warszawie. Właśnie dzwonili i się zgodziłem, żeby działał na własną rękę.

– Jak to na własną rękę?

– To wersja nieoficjalna. Ale jeszcze bardziej nieoficjalna – zgarniamy go przy najbliższej okazji. Czy zaufałbyś takiemu glinie, który skoro nie złapie mordercy staruszki, to sam się zaaresztuje i przyprowadzi do nas?

– Nie, panie nadkomisarzu.

– I dlatego teraz on, wiedząc, że może się ujawnić, wyjdzie z kryjówki, podstawi się nam jak na dłoni, a potem już sobie z nim pogadamy. – Oficer zasalutował na „tak jest". – A co z tym reżyserem? Znalazł się?

– Niestety, nie. Nasz człowiek w środowisku zameldował jedynie, że ma do sprawdzenia ponad sto osób, którzy byli jego potencjalnymi wrogami. A to wierzchołek góry.

– No to niech sprawdza! Niech nie śpi, nie je, nie oddycha, tylko sprawdza. Ale na Boga, w miarę dyskretnie.

– Właśnie rozpracowuje tę aktorkę, która gra główną rolę w „Zbójcach". Wszyscy mówią, że kłaniała mu się w pas, ale na boku opowiadała, jaki z niego cymbał.

– Adelę Fajfusównę?! – Nawała najpierw zbladł, potem zaczerwienił się po szyję. I wstydząc się swej reakcji, natychmiast wyłączył lampę na biurku. – Razi mnie.

– Co pana razi, panie nadkomisarzu, to, że gadała na Dyjmę? Ja też tego nie rozumiem.

– Nie, bałwanie, lampa!

Oficer znowu zasalutował i czekał na rozkaz odmaszerowania.

– Gdzie ją przesłuchuje? U nas, w komendzie?

– Nie. Miał się z nią spotkać w kawiarni, na mieście.

Nawała włączył z powrotem lampkę.

– No dobrze, dopóki ciało Dyjmy się nie znajdzie, nie będziemy robić wokół tego szumu. To byłaby kompromitacja.

Ciało Adeli Fajfusówny było cynamonowo opalone i nadzwyczaj apetyczne, ale trochę przesadziła z solarium. Rozmawiający z nią oficer co chwilę błądził wzrokiem w okolicy sporego dekoltu i co rusz przekładał nogę na nogę, choć miejsca mieli wygodne.

– Jak pani znalazła się na planie „Zbójców"?

– Rolę załatwił mi producent. Uważa pan, że się nie nadaję?

– Nie, wcale nie. Chcę tylko wiedzieć.

– Lubiła pani reżysera?

– Jak to lubiła? Nadal go lubię, chyba że...

– Nie, nie wiemy nic o tym, żeby został zabity.

– To dobrze.

Policjant spojrzał w oczy aktorki, aby wysondować, czy rzeczywiście mówiła prawdę, ale jej źrenice pozostawały nieruchome. Siedziała w wystudiowanej pozie, skryta za rzędem świec. Nic nie mógł z niej wyciągnąć. Twarda sztuka, myślał zarówno o zachowaniu, jak i tym, co kryło się pod bluzką. Pechowo trafił, była w jego typie, ale absolutnie nieosiągalna. Znowu poprawił się na krześle.

– A czy nie zauważyła pani czegoś niepokojącego w jego zachowaniu przez ostatnie dni?

– Co pan ma na myśli?

– Nie wiem, cokolwiek, co zwróciłoby pani uwagę.

– Tak. Na przykład w ostatni poniedziałek do zielonych spodni włożył niebieską koszulę. Bardzo mnie to raziło – policjant znieruchomiał, zastanawiając się, czy nie kpi. Ta uwaga wydawała się jednak szczera. Zorientował się też zaraz, że ubrany był podobnie. Znowu się poprawił i zasłonił koszulę marynarką.

– A jakie były relacje między wami?

– Doskonałe, byliśmy przyjaciółmi.

– Co innego mówią ludzie z serialu.

– Którzy? – była zaskoczona. – Niech mi pan powie.

– Nie mogę dla dobra śledztwa.

Dobro śledztwa! Ile razy policjanci chowali się za tym zwrotem, aby blefować albo ukryć gmatwającą się coraz bardziej sprawę. On sam jeszcze wczoraj sądził, że „rozwiążę zagadkę zaginięcia reżysera w jednym odcinku". Teraz „dobro śledztwa" było już tylko fasadą. Komu miał wierzyć, skoro każda rozmowa z filmowcami doprowadzała do sprzecznych wniosków, a wszyscy mówili co innego na temat jakiejś osoby? I nawet Fajfusówna zapytana o asystentkę planu twierdziła, że to fałszywa osoba, co zresztą w odwrotną stronę potwierdzała asystentka o Fajfusównie. A wszyscy upierali się, że te dwie są jak najprawdziwsze przyjaciółki, wszędzie ze sobą chodzą, szczebioczą i śmieją się na każdym kroku.

– Bo to prawda i nawet czasem śpimy w jednym łóżku. To niczemu nie przeszkadza.

Policjantowi zrobiło się gorąco.

Adeli też, bo zobaczyła siadającego naprzeciwko niej, a plecami do policjanta, Ivo Łebskiego, który dyskretnym ruchem dał do zrozumienia, by go nie zdradzała. Nie poruszyła niczym więcej niż rzęsami.

Większość czasu siedział bez ruchu, w ciszy, którą zakłócały dalekie szmery z podwórza. Zamknięty w przymusowej celi na Szewskiej, kilka ulic od spoglądających na siebie ukradkiem Łebskiego i Adelę, dopóki przesłuchujący ją oficer nie poszedł. Nadzieja na uwolnienie stopniała do zera. Zaczął nawet tęsknić za porywaczem, który był jedynym człowiekiem, jakiego widywał. To odkrycie go zaskoczyło, podobne jak kolejne, mianowicie, że zaczynał go nawet lubić. „Po której jesteś stronie? – pytał sam siebie i nie znajdował szybko odpowiedzi. – Wszystko przez tę ciszę, samotność, porwanie. Jak mam być sobą w takich warunkach?" Ale zaskakujące myśli powróciły pod sklepienie. „Miałem szansę na zrobienie czegoś znaczącego. Próbować uchwycić na taśmie utopię, kicz i ciszę, czyli kawałek z tego, co zostało po wielkich filmach. Niestety, klasycy nie pomyśleli o nas, następnych pokoleniach. Zostawili mało miejsca na twórczość. Rozpoznać wigor od desperacji, krzykliwość od osamotnienia..." – Dyjma przerwał te przymusowe rekolekcje i podszedł do kubła z nieczystościami. Zostawmy go na pięć minut, natura ma swoje prawa – „... a zabrałem się za pseudorealistyczne dziełka robione pod dyktando zmieniających się mód i wyników badań oglądalności. No tak, ale z czego się utrzymać?" W tym miał rację uwięziony reżyser. Bo w powszechnej, krajowej tępocie, psychicznym uzależnieniu od prymitywnych wierzeń, barłogu, cynicznej pobożności, zgryzocie, nienawiści, stadle i sadle trudno było zachować twarz. Ci, którzy próbowali, stawali się niewolnikami sytuacji materialnej i prowincjonalnej zapaści. Młodopolska melancholia i wieczny, polski smutek. Wszyscy szybko stawali się starzy, pomimo młodego wieku. „Co więc miałem robić? Oj, napiłbym się teraz grogu". Zakaszlał, zapalił papierosa i przyłożył rozgrzane czoło do lodowatej ściany. „Ale przecież ludzie to kochają! Dać im odrobinę przemocy, gołych piersi i jakiejś tajemnicy. Tajemnicy z przeszłości, bo tylko taka jest demokratyczna, identyczna dla wszystkich, właściwie bezbolesna. Albo z ich najbliższego podwórka. W innym wypadku przełączą się na drugi kanał".

– Kanał – powiedział sam do siebie.

„Co ja mogę poradzić, że tak jest? Pierwszą instytucją, którą kazałbym zamknąć, gdybym tylko stąd wyszedł, byłby Główny Urząd Statystyczny. Wykresy, badania, liczby. Gdzie jest prawda? To, co będzie się działo w przyszłości, jest w naszych głowach, a nie w komputerze! Trzy kroki od ściany do drewnianych drzwi i dwa kroki wszerz, a można przewędrować całe życie. Zupełnie nie rozumiem, dlaczego więźniowie narzekają na sytuację, tyle przecież można osiągnąć w zamknięciu. Byleby nie dorzucili mi kogoś".

Tak przedstawiały się myśli Dyjmy zwiastujące wielki przełom.

Sytuacja Rozmaryna nie przedstawiała się wesoło, choć on sam odgrywał wszem i wobec beztroskiego młodzieńca. Zaledwie żegnał się z kolegami na planie, mina mu rzedła, fryzura opadała, a na koncie zapalała się lampka rezerwy.

Podjechał tramwajem na plac Wszystkich Świętych i Grodzką dostał się na Rynek. Poszedł na św. Tomasza, gdzie po kilkudziesięciu metrach znalazł samoobsługową restaurację „Polskie Smaki", tanią i z najlepszą pomidorową w Krakowie. Niestety, tym razem zupa miała pospolity smak, a opustoszałe stoliki tchnęły listopadowym chłodem.

Przypadkowo znalazł się w nieodległym Muzeum Wyspiańskiego. Jeszcze na studiach grał w jego sztukach i był w nich zawsze wysoko oceniany. Teraz wchodził do środka muzeum niesiony tym wspomnieniem. Po co? Zaprowadził go tu przypadek, nie zamierzał zwiedzać żadnych muzeów w Krakowie. „Planty", „Widok z pracowni na Kopiec", seria „Macierzyństwo", „Dzieci", portrety. Było tego trochę, ale Rozmarynowi nigdzie się nie śpieszyło. „Żył trzydzieści osiem lat, a tyle napisał, namalował. Trójka dzieci, malarstwo, podróże. Jezu, co ja zrobiłem do tej pory?" Rozmi miał siebie dość. Podszedł nawet do okna, aby zbadać,

czy wysokość kamienicy nadawałaby się do popełnienia samobójstwa. Nie, nie dla siebie, ale dla postaci, którą mógłby ewentualnie zagrać. Co w jego
przypadku było i tak aktem niecodziennej odwagi.

– Przepraszam, pan Pietrzykowski? – była
w średnim wieku, tleniona, z nadwagą. Pracownicz-
ka muzeum.

– Nie, musiała mnie pani z kimś pomylić – odeszła nieprzekonana, a Rozmaryn, który nie miał
ochoty na żadne towarzystwo, miał wrażenie, że
ta kobieta cały czas za nim chodzi. „No cóż, taka jej
praca" – pomyślał i miał zupełną rację.

Wreszcie doszedł do końca ekspozycji, albo prawie do końca, bo ostatnia z sal muzeum była od-
grodzona od reszty. Zajrzał ciekawie w głąb mrocz-
nego pokoju. Tam też na ścianach wisiały obrazy.

– Niestety, ta część jest zamknięta – kobieta
była tuż za nim. – Na pewno pan nie jest tym słyn-
nym aktorem?

– Zgadła pani, jestem. Tylko czasem mam dość
popularności, niech mi pani wierzy. Ale o tym –
sza!

Nawet ładnie to zagrał.

– Proszę za mną, pokażę panu te obrazy – była
szczęśliwa, spotykając kogoś sławnego. Weszli do
zamkniętej sali.

– Zepsuł się nam alarm i dlatego jest nieczynna
– uprzedziła pytanie Rozmaryna, zadowolona rów-

nież z tego, że mogła się do czegoś przydać i z dziecinnym zadowoleniem też odkryć przed nim jakąś tajemnicę.

Nawała czuł się tak, jakby wszyscy znali tajemnicę, a on jedyny w całym mieście nie był do niej dopuszczony. Ponieważ wstydził się zapytać, w jakim lokalu jego podwładny przesłuchiwał Adelę Fajfusównę, postanowił sam sprawdzić jak najwięcej adresów. Od witryny do witryny, wnętrza, przedsionki, szatnie, bary, stoliki. Po godzinie błądzenia zdał sobie sprawę z daremności takiego krążenia. Zagubiony w labiryncie śmiechu i muzyki usiadł przy barze lokalu „Nic nowego" na Szpitalnej.

Barman podał piwo i wybrał młodsze towarzystwo obok. Nawała został sam. „Zadzwonić, nie zadzwonić? Wiele razy obiecywałem sobie, że to już koniec". Jeśli nie wiedział, jaką podjąć decyzję, zazwyczaj sięgał po alkohol, który miał niezwykle prostą formułę działania. Wszystko rozpuszczał do błahych dylematów. Wprawdzie następnego dnia wyrzuty sumienia przeszkadzały w goleniu, ale lepsze było jednak to niż niepodjęcie żadnej decyzji. W połowie piwa sprawdził poziom baterii w komórce. Po zamówieniu drugiego zaczął się bawić aparatem, a po kolejnym łyku obmacywał kieszenie w poszukiwaniu wizytówki Adeli.

To nie była ta Adela. Na tę drugą trafił przypadkowo, podczas nocnej wycieczki po agencjach towarzyskich. Wsiadł do taksówki mocno pijany i kazał się wieść do dziewczynek z doświadczeniem. Taksówkarz wykorzystał okazję i przewiózł go przez całe miasto, a na koniec do Nowej Huty. Tam skasował na 120 złotych i zostawił w ciemnościach. Ta przygoda mogła się skończyć na hutniczo – gorąco i tylko w kapeluszu. Ale gorąco zrobiło mu się w środku, gdy wskazany adres okazał się rzeczywiście agencją z paniami, jakich szukał.

Hetery przespacerowały się przed Nawałą jak w cyrkowym namiocie wiekowe słonice. Tak, tego szukał. Nie tych młodych, giętkich, opalonych. Ale przechodzonych i zgorzkniałych. Przy takich mógł się poczuć swobodnie. W cenie drinka był jeszcze jeden dla wybranej dziewczyny, nic dziwnego, że banknotów ubywało.

– Jak masz na imię?

– Adela, złociutki. Chcesz się jeszcze czegoś napić? Pobladłeś, a przecież przed nami jeszcze cała noc. Nie podobam ci się?

Podobała się i to bardzo.

Wracał tam wielokrotnie i wszystko wskazywało, że wróci tego wieczora.

Musiał jednak poczekać godzinę, gdyż jego Adela miała klienta. Skinął na barmana, zamówił kolejne piwo i wolno obrócił się na stołku barowym w stronę sali. I wtedy z niedowierzaniem potrząsnął głową, ale zjawa nie znikła. Bo oto otwierała się przed Nawałą możliwość udowodnienia wszystkim, kto rządził w Krakowie.

Antoś dochodził już do pensjonatu, gdy drzwi w jednym z zaparkowanych na ulicy samochodów otworzyły się, z auta wyszło dwóch mężczyzn w płaszczach i podeszło do niego. Nie był bardzo zaskoczony, gdy ci dwaj nie pytali ani o drogę, ani o ogień.

– Panowie do mnie?

– Komenda krakowska – błysnęła legitymacja.
– Antoni Szumiejski? Pójdziesz z nami.

Pozwolili mu zostawić w domu bagaż i wziąć szczoteczkę do zębów. Zanim wsiadł do radiowozu, odwrócił się jeszcze w kierunku domu, jakby chciał się z nim pożegnać na dłużej.

Właściwie nie byłoby nic dziwnego w fakcie, że kilka samochodów dalej, za zaparkowanym nadal alfa romeo komisarza Łebskiego, dwóch innych mężczyzn, podobnie ubranych na ciemno, w tym właśnie momencie, gdy Antoni pokazał się na ulicy także chwyciło za klamki, aby podejść do młodego studenta, ale wstrzymali się w ostatnim momencie, widząc, że ktoś ich uprzedził.

– Co teraz?

– Tak zgarniają tylko gliniarze. Miał gówniarz szczęście.

Dyjma miał szczęśliwą minę i doskonały humor podczas porannego spaceru wokół celi. Zanim się obmył w misce, zrobił jeszcze kilka pompek, w trakcie których zauważył wrzucony głęboko pod łóżko scenariusz, własność porywacza. Wyjął skrypt, otrzepał z kurzu i położył na stole. Wziął się znowu do niego po śniadaniu i cały dzień zszedł mu na dokładnym studiowaniu scen. Po skończeniu nie miał już dobrego humoru. To, co trzymał w rękach, było więcej niż znakomite.

Następnego dnia drzwi od piwnicy otworzyły się i postać w kominiarce przyniosła zakupy z tych samych delikatesów Złoty Róg w alei Kijowskiej. Przeczytał na reklamówce.

– Chcę stąd wyjść. Mam dość.

– Tylko na moich warunkach.

– One są chore.

Porywacz zauważył scenariusz leżący na stole, z wyraźnymi śladami używania.

– To jest aż tak złe?

– Nie o to chodzi. W innych okolicznościach nawet usiedlibyśmy do rozmowy na temat nakręcenia filmu. W końcu jestem artystą. Ale żeby pracować, muszę być wolny. Mieć swobodę wyboru, trzeźwość oceny, sprzyjające otocznie. A gdzie jestem? W jakiejś zatęchłej norze! Sikam do kubła, nie wychodzę na pole, nawet nie wiem, która godzina! A to, czy jest dzień czy noc, sprawdzam po szparze w zamurowanym oknie! I tylko czasem słyszę hejnał.

– Czy tak ważny jest czas? Nam się nie spieszy. Widocznie musi go pan mieć więcej, żeby podjąć właściwą decyzję. No i przypominam, że jesteśmy w mieście, gdzie podczas powstania w 1860 roku rząd tymczasowy nakazał zatrzymać zegary.

– To nieludzkie.

– Przyznaję, że warunki są niesprzyjające, ale nie mamy wyjścia. Pan cierpi za miliony. Albo teraz, albo nigdy. Inaczej świat zejdzie na psy. A filmy będą robić tylko animowane. Sztuka nie może zginąć.

– Pan mówi o sztuce? Co pan może na ten temat wiedzieć?

– Wystarczy tylko uważnie przyjrzeć się wszystkim dookoła. Po dawno zakończonej wojnie masła z margaryną nasz naród krótko żył cenami proszków i szamponów. Teraz pasjonuje się promocją sms-ów oraz kremów przeciwzmarszczkowcyh. Upusty na samochody dla bogatych liczą się tak samo jak oferty tanich hipermarketów oraz oprocentowanie kredytów. A najważniejsze egzystencjalne pytanie brzmi: „Jaka to melodia?”

– Co ja mam z tym wspólnego?

– Może pan to po prostu przerwać. Wyjść z tego, sprawić, że inni też przestaną.

– Przestaną – co?

– Kręcić te cukierkowe, oszukańcze pseudozwierciadła rzeczywistości, bajeczki z pośpiesznym morałem. A właściwie skleconym naprędce finałem, że zło zostało ukarane. Zło nadal kwitnie, gdy bezdenna pustka świeci z ekranów.

– Jaka pustka? Ludzie tego chcą – to zdanie powiedział już słabym głosem.

Dyjma był już na progu przyznania racji porywaczowi, lecz instynkt samozachowawczy zakazał mu tego. Powiedział, że nie będzie męczennikiem żadnej sprawy, jest na to za młody lub za stary, to bez znaczenia. Niech inni dadzą się spalić na ołtarzu sztuki. On jest od rozrywki.

– Od czego?

– Od rozrywki – odpowiedział, zapalając papierosa. – Ludzie chcą rozrywki.

– Rozrywki czy zapomnienia?

– Jednego i drugiego.

– Ale to są dwie różne rzeczy. Jeśli mówimy o rozrywce, to chodzi o inteligentny komentarz do wszystkiego, co dotyczy życia każdego, w miarę inteligentnego człowieka. W rozrywce śmiejemy się i porównujemy się z bohaterami filmu czy książki. Są nam w jakiś sposób bliscy. A w zapomnieniu chodzi o samounicestwienie. Jeśli ludzie szukają zapomnienia, to znaczy, że boją się żyć. Że się przyzwyczaili, ale najzwyczajniej się boją. I pan kręci takie właśnie filmy, żeby zapomnieli. To pana powinno się zamknąć, a nie czarne charaktery ze scenariusza.

– Co przecież się stało! – wplatając ręce we włosy, głośno krzyknął Dyjma, a echo poniosło się po piwnicy.

Porywacz odstawił stołek pod ścianę i tyle go widzieli.

Czkawka była widomym sygnałem nietrzeźwości Rozmaryna. Teraz też był już mocno podchmielony, gdy trzymając za rękę pannę Jadwigę z Muzeum Wyspiańskiego, szedł przez plac Szczepański. Jadwiga również była pod wpływem. Nie przeszkadzała jej czkawka znanego aktora. Ośmielona alkoholem pokazywała nierówne, żółtawe zęby, ilekroć aktor rzucał oklepany dowcip albo zdradzał tajemnice swej sfery. Uwierzyła, że zapomniał portfela, że wszedł do muzeum na legitymację ZASP-u, i ona płaciła za pięciogwiazdkową metaxę w Krzysztoforach. Pochwaliła się także, że ma u siebie pyszną nalewkę od babci, na czeskim spirytusie, zatajając, że w domu przebywa również autorka trunku na wiśniach. Rozmaryn szedł teraz chwiejnym, ale raźnym krokiem w paszczę pokoleniowej pułapki, rojąc sobie erotyczną przygodę z tą oto panną Jadwigą, która za chwilę powinna stanąć przed bramą kamienicy na Jagiellońskiej, gdzie mieszkała, i rozpocząć szarpaninę z torebką w poszukiwaniu kluczy.

Rozmi kombinował jak każdy facet, wielotorowo. Oprócz niezobowiązującego seksu, czknięcie, myśli kierowały się w stronę macierzyństwa, to znaczy „Macierzyństwa". „Zresztą, z kim miałbym macierzować? Z tą prowincjonalną gęsią?" – śmiał się w duchu i podtrzymywał zataczającą się Jadwigę. Tak naprawdę roił sobie uprowadzenie żony Wyspiańskiego z dziećmi, w pastelach, w oryginale z 1905, a rojenia podsycał alkohol i pamięć udanego włamania do mieszkania Dyjmy. Działał na jego wyobraźnię nie tylko alkohol, co niedziałający alarm w ostatniej sali kamienicy Szołayskich. Już widział siebie przy szulerskim stole w Radissonie, nurzającego się w bogactwie. Czknięcie.

Nie wiedział, że po drogiej stronie ulicy wzbudził zainteresowanie u swego niedawnego rywala. Ivo Łebski szedł nieśpiesznym krokiem Jagiellońską, który miał go zaprowadzić do lokalu „Nic Nowego". Zatrzymał się rozpoznawszy znajomą postać i aparatem w telefonie zrobił kilka fotografii zajętej sobą parze. Akurat Rozmaryn, pociągając piwa z butelki, chwytał za pośladek Jadwigę, która niezdarnie forsowała drzwi kamienicy. Fotografował ich nie po to, żeby szantażować aktora ani podsuwać Adeli pod nos dowody zdrady. Intuicja podpowiedziała Łebskiemu, że tak trzeba, a Rozmi od początku wydawał mu się typem kombinatora i egoisty nad egoistami. Trzasnęły drzwi kamienicy. Zadrżała żarówka nad wejściem.

Nad barem świeciło punktowe, elektryczne światło. Odbijało się od rzędów butelek, śląc refleksy na salę. To oraz żarzące się w witrynach girlandy, czerwone lampiony u sufitu i wypolerowane szkło powodowały, że świat jaśniał przyjemnie i tajemniczo. Niby bar, ale jak w domu czarodzieja. W umyśle Nawały pojawiły się złudne obrazy pierwszych świąt Bożego Narodzenia, jakie pamiętał. Zwalić to należy na intensywne czerwienie, przypominające kolor szaty św. Mikołaja. Tamtej zimy mały Kaziu dostał swój pierwszy plastikowy pistolet... Teraz, wyrwany ze świątecznej wizji, szukał za paskiem prawdziwego pistoletu, ale jego służbową broń miał najprawdopodobniej człowiek siedzący po drugiej stronie sali. Nie pozostało mu nic innego jak gołymi rękami przyskrzynić tego właśnie człowieka, a był nim Ivo Łebski, który w najlepsze, przy najintymniejszym ze stolików, rozmawiał... z Adelą Fajfusówną!

Nawała postanowił działać z zaskoczenia.

Minął parę studentów całującą się dyskretnie, za gazetą z wiadomościami kulturalnymi. Obszedł człowieka przy stoliku, który cierpliwie maczał pióro w kałamarzu i skrobał coś w czarnym notesie z gumką. I powoli, na palcach, zbliżał się do celu niezauważony.

Kelnerka niosąca tacę z napojami nadchodziła z prawej. Piwo przelewało się od brzegu do brzegu szklanek w rytm jej kroków. Widział wyraźnie meszek nad górną wargą pani ubranej w kelnerski strój. Uśmiechała się sztucznie. Musiała się przeciskać przez zatłoczony lokal, podobnie jak on. Za szybą przejechała karetka na sygnale. Wszyscy byli ciekawi, co się dzieje, i odwrócili głowy z wyjątkiem pary za wiadomościami kulturalnymi.

Ivo i Adela wrócili do rozmowy. Nawałnica zazdrości spadła na skradającego się Nawałę w momencie, gdy Łebski przyciągnął dłoń aktorki do swojej twarzy i przyglądał się jej z bliska. Nagle Fajfusówna wstała i uśmiechając się do Łebskiego, sięgnęła po torebkę.

„Do toalety..." – dotarło do Nawały. Nie wiedząc, co począć ze sobą, a był zbyt daleko na akcję bezpośrednią, odwrócił się i dosiadł do człowieka maczającego pióro w kałamarzu.

– Coś pan?! – zdziwienie, które malowało się na jego twarzy zaczęło dopiero rosnąć. – Co to ma znaczyć?

Nawała sięgnął za klapę marynarki, pokazał policyjną odznakę i oznajmił, że właśnie trwa akcja.

Tamten zbladł niespodziewanie, zamknął zeszyt i odłożył pióro.

– Jestem niewinny.

– Wierzę panu, ale nie ma pan wyjścia. Musi pan współpracować.

– Zgoda – odparł tamten i zdjął z nosa okulary.

– Coś podpowiada mi, że jesteś niewinny – powiedziała cicho Fajfusówna, ale muszę się jeszcze zastanowić. „To dziwne, ale ja podobnie myślę o niej" – zastanowił się Łebski. Jeszcze piętnaście minut temu silił się na obiektywność. Pamiętał wywiad z aktorką, w którym przyznała się do fascynacji Malczewskim. Obrazu brakowało w pensjonacie. Podejrzewał, że maczała w tym palce. Ale spytana wprost, wyjaśniła, że o sztuce kazał jej mówić na każdym kroku agent, choć nie miała o niej zielonego pojęcia.

– „Dama z królikiem"...

– ...gronostajem...

– Tak, gronostajem, „Śniadanie w tratwie"...

– ...na trawie...

– ...masz rację – trochę się zaczerwieniła – Co jeszcze? „Słoneczniki" Moneta.

– Van Gogha. – Łebski szybko zorientował się, że Adela nie wie, o czym mówi. Oczywiście mogła odegrać nieświadomie jakąś rolę w kradzieży

Malczewskiego, ale jaką? Kto by za tym stał? Czy w ogóle była jakaś kradzież?

– To miało nobilitować mnie w środowisku. Cóż ja na to poradzę, że wszędzie uważają mnie za głupią gęś? – żachnęła się i sięgnęła po marlboro.

Łebski przytknął zapalniczkę do papierosa włożonego w przedwojenną gilzę w patentowane wzory.

– To też jego pomysł. Nie smakują mi papierosy przez tę rurę, ale tak jest bardziej elegancko.

– Dlaczego tak łatwo dajesz sobą manipulować?

– Agent trzyma mnie w szachu, ale nie chcę o tym na razie mówić.

Łebski przyglądał się pięknej twarzy aktorki. Oczy miała nieskończone, włosy też. Była małą dziewczynką i demonem jednocześnie. Łebski poczuł ukłucie w sercu. Pierwsze od czasu Agaty.

– Przepraszam, ale wyjdę na moment do toalety – nawet uśmiechała się tak jak ona. – Będziesz jeszcze, gdy wrócę?

Na komendzie Antoni pozostawiony w pokoju przesłuchań analizował otoczenie pod względem kolorystycznym. Antracytowe niebo nie przepuszczało więcej niż kilkanaście lumenów światła. Było ponuro i ciemno. Brunatne, bure, oberżynowe kręgi otaczały adepta „patrzalstwa", jak nazywał swe zajęcie w momentach doskonałego humoru, czym starał się ratować przed wewnętrzną paniką, która już pukała do ego. Ręce zlodowaciały. „Czy tak się czuł Van Gogh, po odcięciu ucha? – podrapał się za małżowiną i przekręcił się w fotelu, gapiąc do góry, w zdychającą u sufitu żarówkę. Przeżarzony wolfram dogorywał, bzycząc uwięziony w przeszklonej bulwie. W pokoju co rusz robiło się ciemno, a nawroty światła stawały się coraz słabsze. Nagle zrozumiał, na czym polegało odwrócenie świetlnej perspektywy obrazu przez wielkiego Van Gogha. Poczuł to nawet na własnej skórze, a dreszcze pochodzenia organicznego przełożyły się przez mianownik wrażliwości na psychiczne podrygi. Żółć stała się tłem, pociągając za sobą purpurę, wrzosy o jakimś odcieniu pąsowej nieśmiałości, która, ledwie zajaśniała, zgasła. Na przód wystąpił palisandrowy taniec zieleni malachitowych, manganowych, hebanów i antracytów. Stan malarskiego uniesienia przeszedł w pseudomistyczne pobudzenie, jakim zakopiańscy moderniści epatowali bogate warszawianki przyjeżdżające ekspresem „Tatry" po wrażenia i przygody. W międzywojniu, znaczy. Teraz czystość doznań Antoniego mąciło samo otoczenie, z upiornie aktualnej, zomowskiej toporności monochromatyzmu którego wyłonił się wraz ze skrzypieniem drzwi funkcjonariusz.

– No dobrze, czas się przyznać – śledczy zaczął od przypalenia sobie papierosa i dmuchnięcia mu w twarz. Antoś zakaszlał. Oficer uśmiechnął się i pomyślał: „mięczak". Siedzący w skorupie swej odmienności Antoś wzdrygnął się od tego uśmieszku.

– To jak będzie?

– Przepraszam, czy tu biją? – nie zdawał sobie biedaczek w ogóle sprawy jak wygląda przesłuchanie, słusznie abstrahując od przesłuchań znanych z filmów kryminalnych. Rozbroił tym śledczego, który poprosił go o powtórzenie tego pytania, bo zapomniał włączyć dyktafonu.

– Przepraszam, czy tu biją? – Antoś Szumiejski był jednak sprytniejszy, niż można by przypuszczać. Założył sobie, że ile się będzie dało, zagra przerażonego chłoptasia, który został zapuszkowany za tradycyjną niewinność.

„Niewinny" – powtórzyła w myślach Fajfusówna. Poprawiła usta, włosy, podciągnęła pończochy, które poniosły ją z powrotem do stolika w lokalu „Nic Nowego" na Szpitalnej. „I jaki kochany w tym swoim zagubieniu. Widać, że myśli, ale tylko o pracy".

– Zgoda. Zamieszkasz w przyczepie. Ale tylko na tydzień. Jakoś nie pasujesz mi do faceta, który interesuje się starszymi paniami, raczej odwrotnie. – Lekko się zaczerwieniła i aby zmienić temat, przypomniała mu o anonimach. Bo dostała kolej-

ny. Wetknięty we drzwi domu na kółkach straszył:
„Bądź gotowa każdej nocy. Nasz ślub już bliski".
Łebski przyjrzał się dokładniej literom.

– Są z gazety z twoim wywiadem.

– Nie dziwi mnie to wcale. Zboczeniec. Że też
nie ma żadnego faceta, który by go potrafił naprostować.

– Daj mi kilka dni i pojedź po samochód. Zbyt
dużo czasu tracę na autobusy i pieniędzy na taksówki.

Umówili się, że Adela pojedzie po alfę zaparkowaną przed pensjonatem na Cichej. Wprawdzie
nie miała prawa jazdy, ale zagrała przecież jedną
z głównych ról w serialu o taksówkarzach. Pamiętała piąte przez dziesiąte jak się zapala samochód
i włącza kierunkowskaz.

– Będziesz uważała na tramwaje?

Bywa, że jeden tramwaj na przejeździe przesłania nam drugi, a własne plecy przeszkadzają oglądać piękne widoki. Bo gdyby komisarz był mniej
podekscytowany akcją i zwracał baczniejszą uwagę
na otoczenie, miałby szansę rozwiązać dwie sprawy
naraz, dostać awans, premię i dwa tygodnie wolnego. A tak, przy stoliku, do którego się dosiadł, z trudem nawiązał się zwykły, kawiarniany dialog.

– Ech, znowu była podwyżka. Nie dają człowiekowi spokoju.

– Chodzi panu o chleb czy gaz?

– Jedno i drugie. No niech pan sam powie, czy w takiej drożyźnie da się normalnie żyć?

Nowy znajomy Nawały był zdezorientowany sytuacją. Komisarz, widząc to, bez słowa otworzył notatnik, z którego korzystał nieznajomy i tamten zbladł jak kartka, którą wytargał Nawała ze środka, nie wczytując się w treść memuarów. Sięgnął za to po kałamarz. Posmyrał się za uchem gęsim piórem, szukając natchnienia, i napisał koślawym charakterem pisma, co było usprawiedliwione ze względu na niecodzienne narzędzie: „Niech nas pan nie zdradzi. Proszę zachowywać się naturalnie". Minęły trzy minuty. Nawała oddał nieznajomemu pióro, zamknął notatnik, odłożył go na książkę „Historia porwań" leżącą na stoliku i zapytał:

– Czy widzi pan człowieka siedzącego przy stoliku pod oknem?

– Przystojny, ciemny, przed chwilą była z nim jakaś kobieta?

– Tak, o niego chodzi. Co teraz robi?

– Włożył rękę do kieszeni spodni. Gapi się za szybę. O, właśnie wraca ta babka... Ależ to przecież ta aktorka, Fajfusówna! Poznaję ją!

– Tak, to ona. Proszę siedzieć spokojnie, bo wszystko przepadnie. Gdy tylko zajmą się z powrotem rozmową, proszę dać mi znać.

– Dostaniesz też klucze od willi – wrócili do rozmowy. – Na dole, w jadalni, na kredensie stoją szachy – Ivo spodziewał się, że jego przeciwnik wykonał już ruch – poproszę cię, żebyś zrobiła tak – koń wychodził przed linię pionów.

– Przygotowujesz wieżę do roszady?

– Grasz w szachy? – wyglądał na zaskoczonego. Fajfusówna wydała mu się ideałem kobiety. Przeciągnęła ręką po włosach i poprawiła ramiączko od stanika. – Tak bardzo chciałbym z tobą zagrać, teraz.

– Obawiam się, że to niemożliwe. Po prostu dostałam kiedyś rolę młodej mistrzyni szachowej i pamiętam jeszcze trochę dialogów.

– To naprawdę jest policyjna akcja? – przy stoliku Nawały dialog kwitł w najlepsze. – Zapamiętam ją na całe życie.

Nawała nic nie odpowiedział, robiąc tylko poważną minę. Pstryknął z palców.

– Kelner, płacić!

– Ależ proszę pana, pan nic u mnie nie zamawiał. – Przed momentem człowiek z kałamarzem dał znać nadkomisarzowi, że para pod oknem wróciła do rozmowy i nie widzą świata poza sobą.

– Rzeczywiście, pani wybaczy, ale głowę mam zajętą innymi sprawami.

Nawała wstał i ruszył w kierunku Łebskiego i Fajfusówny.

Zdawał sobie sprawę, że nie był przygotowany do działania zgodnie z prawidłami sztuki. Bez planu i obstawy. Nie miał broni ani kajdanek. Instynkt, wzburzenie i urażona duma pchały go jednak do przodu. Liczył na zaskoczenie. Nie zrobił trzech kroków, a już widział wyraźnie dekolt Adeli, która bawiła się perłami oplatającymi szyję.

Postanowił, że przewróci do tyłu krzesło, na którym siedział Łebski i zaskoczonego rywala skrępuje paskiem od spodni. Czuł, że ma go w rękach...

Ivo znów chwycił dłoń Adeli i spojrzał jej głęboko w oczy.

– Chciałem ci coś powiedzieć.

– A co to za pocieszny grubas idzie w naszą stronę? – Adela zdziwiona oderwała wzrok od twarzy przystojnego, warszawskiego policjanta, po czym doznała olśnienia. – Przecież ja go znam! Przychodzi do mnie na plan, tyle że w mundurze.

Łebskiego coś tknęło i wstał z półobrotem, pozbawiając tym samym przeciwnika efektu zaskoczenia. Nawała poderwał krzesło do góry, które nieobciążone wyleciało mu z ręki i poszybowało w stronę baru.

– O, znowu się spotykamy! – Łebski dopił kawę i chwycił przeciwnika za krawat. Rozległ się huk tłuczonego szkła; krzesło osiągnęło półki z butelkami.

– Nie masz szans! – Nawała starał się dosięgnąć pięściami podbródka Łebskiego, ale ręce miał za krótkie.

– A ty nie masz spodni! – Rzeczywiście, nadkomisarzowi opadły galoty, ukazując chude, owłosione łydki i szerokie majtki w słoniki. Adela ryknęła śmiechem. Tego było już za wiele. Nawała zagotował się z wściekłości.

Krzesło wbite w lustro za barem spadło na podłogę. Wystraszony barman wychylił się zza kontuaru.

– Policja! Dzwońcie po policję!

– Ja jestem z policji! – powiedzieli równcześnie Nawała i Łebski.

I jak tu wierzyć ludziom?

W „Nic nowego" wszyscy zamarli przy stolikach i zwrócili głowy w ich kierunku, z wyjątkiem pary za wiadomościami kulturalnymi.

Łebski przydusił kolanem Nawałę do podłogi, otworzył mu usta, zawołał na kelnerkę, zamówił cztery szybkie żubrówki, wlał je w usta leżącego i poczekał aż pacjent znieruchomieje. Po czym wstał i otrzepał klapy marynarki. Adela patrzyła na niego z niekłamanym podziwem. To była jedna z tych chwil, kiedy nie grała, co zdarzało się rzadko.

Podeszła do niego i z efektownym odgięciem nogi w tył mocno pocałowala. Cała knajpa zaczęła bić im brawo, z wyjątkiem pary za wiadomościami kulturalnymi.

Po czterdziestu siedmiu szybkich skurczach serca Łebski oderwał się od aktorki, która kłaniała się dystyngowanie wszystkim zgromadzonym. Komisarz przeszukał kieszenie Nawały, wyjął z nich portfel, dał kelnerowi 500 złotych na poczet strat, wziął Fajfusównę pod ramię i skierowali się do wyjścia. Akurat zdążyła pozbierać rzeczy z torebki, która podczas starcia znalazła się na podłodze.

– Poczekaj, coś ci wypadło – Adela wskazała na pogięty anonim.

– Masz babo placek, gubię dowody, a mogą się jeszcze przydać w śledztwie – uśmiechnął się blado.

Babcia panny Jadwigi, pomimo bladości na twarzy spowodowanej wiekiem, okazała się wyjątkowo energiczną starszą panią, która od razu rozpoznała Rozmaryna.

– Ach, witamy, witamy w naszych skromnych progach! – po czym klasnęła w dłonie i w salonie pojawiła się służąca, która odebrała rozkazy co podać. Salon kipiał przepychem. Siedzący na biedermeierowskiej kanapie aktor otoczony był przez kopie wawelskich arrasów, a z sufitu spoglądały na niego słynne malowane głowy.

– Pan pewnie zdziwiony, że żyjemy tutaj z Jadwisią w otoczeniu tych staroci?

– Nie, dlaczego? Zawsze można popatrzeć sobie na zabytki i nie płacić za bilet. – Rozmi zaśmiał się sam do siebie, ale żart nie spotkał się z szerokim uznaniem.

Starsza pani chrząknęła.

– Tak, znaczy, jestem pod wrażeniem – poprawił się aktor.

– Ja proszę pana pochodzę ze słynnej rodziny Jasieńskich. Uwielbiam sztukę. O Feliksie Manggha pan słyszał na pewno?

– Ależ oczywiście, co u niego? – aktor drugi raz strzelił gafę. Nie zorientowawszy się w sytuacji, sięgnął śmiało po kieliszek z wiśniówką: – Wyborna, wyśmienita!

– Cieszę się, że posmakowała. Jeszcze ze starej, austriackiej receptury. Wiśnie muszą być robaczywe, wie pan?

– O, to interesujące.

– Ależ babciu, nie wypada, może nasz gość jest obrzydliwy? – i tu obie parsknęły śmiechem, ale żeby Rozmaryn nie poczuł się lekceważony, babcia skarciła wnuczkę ruchem palca.

– No więc, jak już powiedziałam, uwielbiam sztukę. Nawet czasem Jadwisia przynosi mi coś z muzeum, wieczorem, żebym sobie pooglądała, a odnosi rano. Przecież to blisko, sam pan widział.

– Babcia! – Jadwiga była wyraźnie niepocieszona, że ich praktyki wychodzą na jaw.

– Ależ nie ma się czym denerwować, to do pewnego stopnia zabawne. Bo uważa pan, ja nie znoszę samej idei muzealnictwa.

Kiedyś, żeby się dostać do British Museum, należało napisać podanie! Człowiek starał się o wejście przez długie tygodnie, a i to było dla wybrańców. A teraz? Przedmioty powinny cały czas być podziwiane, a nie zaledwie oglądane, smagane nieuważnym spojrzeniem. I to za pieniądze. I ci obcy ludzie wkoło, to doprawdy denerwujące! – W ostatnim zdaniu zaakcentowała arystokratyczne „r" i uśmiechnęła się, ściągając usta. W tym momencie otworzyły się dwuskrzydłowe drzwi i do salonu wniesiono potrawy. Służąca ułożyła je jak na „Ostatniej Wieczerzy" Leonarda. Starsza pani przyjęła pozycję „Bretanki" Van Gogha, a Jadwiga bez słowa rozłożyła się na krześle, jak „Kobieta w fotelu" Picassa. Zdumiony Rozmaryn nie wiedzieć czemu, pod wpływem tych malarskich odniesień przyjął formę błazna z Matejki i wziął widelec do rąk.

– Czy przyniosłaś mi z pracy obiecane „Macierzyństwo"? – Rozmarynowi wypadł widelec z rąk.
– Wie pan, mam trochę znajomości w Urzędzie Miasta. Załatwiam Jadwisi pracę w różnych muzeach. Dzięki temu widziałam już większość obra-

zów, które są w Krakowie, a nie ruszyłam się z tego miejsca – starsza pani znowu się zaśmiała.

Rozmaryn wytarabanił się spod stołu, z radością pokazując obu paniom znaleziony na dywanie widelec, ale ręka w nieskazitelnie białej rękawiczce, należąca do służącej, wyjęła mu go z palców i podstawiła pod nos tacę, na której spoczywał czysty krewny sztućca. Rozmaryn nie mógł się opanować i złapał sługę za pośladek, co spowodowało, że z tacy spadł kolejny widelec.

– Przepraszam – powiedział, czerwieniąc się i chrząkając.

– Dureń – odezwała się z sufitu jedna z imitacji wawelskich głów.

– Proszę się nie przejmować, czasem się to zdarza – odezwała się starsza pani. – Niech pan sobie wyobrazi, że choć przemówiła już kilka razy, nie wiemy, która z głów gada. A może jest ich kilka? – Podniosła wzrok i spoglądała milcząco na drewniane, nieme twarze.

– A jak sobie panie radzą z rzeźbami? Jadwiga też je przynosi? – Rozmaryn próbował nawiązać rozmowę przerwaną incydentem z widelcem, ale znowu usłyszał z góry:

– Kretyn!

– Jest! Widziałam ją! Wiem, która mówi! Cudownie! Jadwiga, dzwoń natychmiast po docenta Śmieciaka! Niech przyjeżdża! – i właściwie było po kolacji.

Adela wsiadła do samochodu ze szczerym zamiarem odjechania, ale nie od razu znalazła kierownicę. „Nie po tej stronie!" – przytomnie zauważyła po chwili i przesiadła się na właściwe miejsce. Włożyła kluczyk do stacyjki, który ledwo się tam zmieścił. Trudno było jednak go przekręcić. Nie szło ani w jedną, ani w drugą stronę. Zapaliła lampę przy lusterku, w którym zobaczyła swoją zdenerwowaną twarz i ubytki w makijażu. Wyjęła kosmetyczkę.

– Ależ się rozmazałam! – powiedziała do siebie. Lusterko było zbyt małe w porównaniu z tymi, do których się przyzwyczaiła, więc makijaż trwał dobrą chwilę.

Zaskakujące było dla Fajfusówny to, że sytuacja, w której właśnie się znalazła, pełna emocji i niecodziennego dreszczyku, zupełnie odbiegała od tych na planie, a przecież została aktorką po to, żeby czuć to „coś", co rzadko spotyka się w życiu. Udowodniając sobie, że jest akurat odwrotnie, przestała być na chwilę aktorką i nagle zrobiło się jej jakoś tak lekko. „W całą tę sytuację dałam się wplątać dzięki temu policjantowi, Ivo. Powinnam być wściekła na siebie i jego, ale jest akurat odwrotnie. To może przecież zaszkodzić karierze, ale co mi tam".

Kabina alfy, dość dobrze oświetlona, przyniosła jeszcze jedno odkrycie. Do stacyjki włożyła klucz od swojego mieszkania w Warszawie. Zaczerwieniona, rozemocjonowana, rozejrzała się po okolicy, czy aby ktoś nie zauważył jej głupoty, i nie widząc nikogo w pobliżu, odnalazła w torebce właściwy kluczyk i włożyła go do stacyjki. Silnik zaskoczył od razu.

Ivo poinstruował ją, żeby odjeżdżając spod „Róży", nie włączała świateł, aby nikt jej nie zauważył. „Kto miałby to być?". „Nie wiem, tak na wszelki wypadek" – usłyszała w odpowiedzi. Teraz monologowała: „Mądrala, jak tu jechać samochodem w nocy, bez świateł?". Oczywiście Ivo starał się przewidzieć wszystkie niespodziewane sytuacje podczas odzyskiwania samochodu, nie wziął jednak pod uwagę, że Fajfusówna:

a) jeździć nie potrafi, nawet jeśli zarzekała się, że umie.

b) zapali światło w kabinie i nie zgasi go przed ruszeniem.

c) sąsiad z willi obok zaparkuje bardzo blisko tylnego zderzaka alfy.

Wszystko to razem dało opłakany efekt szkody parkingowej, niepotrzebnego hałasu i nerwów, które do końca zjadły Adelę. Zaczęła nawet płakać, a płacz wzmógł się, gdy przypomniała sobie o ruchu na szachownicy. Z trudnością wrzuciła wsteczny i zaczęła wracać pod pensjonat. I to było jeszcze gorsze.

Nie widziała nic, z wyjątkiem zroszonej tylnej szyby. W lusterkach bocznych było coś niecoś z kształtów samochodów i jedyna świecąca na ulicy latarnia, która pomogła jej w pierwszej fazie cofania. Prawie się udało, ale na sam koniec wjechała w błotnik zaparkowanego bmw i zgrzyt urywanego zderzaka poniósł się po ulicy Cichej.

– *Sacré bleu*! – zaklęła w obcym języku, gdyż w młodości odebrała połowicznie wykształcenie dla dobrych panien. Francuski i wielomiesięczne polerowanie lamp naftowych. – Jak oni parkują!

Wreszcie wyłączyła lampkę przy lusterku, a przekręciła włącznik świateł mijania, słusznie dochodząc do wniosku, że nie ma już po co ukrywać swej obecności. Dość sprawnie zaparkowała i nie patrząc nawet na pogięte blachy, skierowała się z powrotem do pogrążonego w martwocie pensjonatu.

– Już nie żyje! Mój, mięso, wóz! – głosy zza firany w pensjonacie należały do dwóch panów więcej niż słusznego wzrostu. Siłownia, sterydy, dresy.

– Mówię ci Fikoł, że nic na razie nie robimy. Nie było żadnego rozkazu.

– Ale ona mi, mięso, porysowała brykę! Idę to zobaczyć!

– Stój na miejscu, nigdzie się nie ruszamy. Mięso mać!

– Człowieku, wiesz ile kosztowała mnie ta fura? Na budyniu, zwierciadła i fikołki w prądzie, kółko z lasu, porządny kapeć!

– A co, mamy może zejść na dół i spisać oświadczenie? Albo może zadzwonić po gliny? Przecież urwałeś się z warunku, człowieku, myśl! – Drugi z głosów, należący do kogoś z większą wyobraźnią, dalej analizował sytuację. – Ty, patrz co się, mięso, dzieje! Laska łapie za klamę i ładuje się do nas!

– A niech mnie, sama wpada mi mięso w łapy!

– Żadnego ruchu! Ma być cicho jak w kościele na pogrzebie Banana! Zrozumiałeś, mięso?

– Zrozumiałem, mięso mać.

Najpierw było cicho. Później głosy zaczęły powracać, aż Nawała wybudził się ze znieczulenia żubrówką i wyraźnie usłyszał dzwonek telefonu. Pociesznie zamrugał oczami, jeszcze nie ogarniając niewygodnej pozycji, w jakiej się znalazł, zarówno towarzyskiej, jak i fizycznej. Gdy ponura prawda dotarła do niego, wstał z trudem, odpierając się na przewrócym krześle, i podciągał spodnie. W tym momencie do „Nic Nowego" wszedł wezwany patrol.

– Dobry wieczór, pan pozwoli dokumenty.

– Najpierw pan pozwoli mi zapiąć pasek, młody człowieku. Później odebrać telefon – zaczął Nawała, i rzeczywiście zaczął rozmowę.

– Nie będę się patyczkował – młody posterunkowy należał do ambitnych typów, karmiących się popłuczynami po „Miami Vice". Drugi raz tego wieczora Nawała znalazł się na podłodze. Z wściekłością wdychał kolejną dawkę roztoczy z gruntu, przy okazji roztaczając niemiłą perspektywę przed postacią górującą nad nim i sięgającą po kajdanki.

– Z jakiej wiochy pochodzisz, tępy kołku? Pewnie gdzieś spod Radomia, co? Mówię ci, że jestem nadkomisarz Nawała z kryminalnej, czy dociera to do twojej zakutej pały?

– Mateusz, a jeśli to prawda? – do rozmowy wtrącił się drugi z patrolu. – Mamy przekichane.

– Przekichane? Macie mniej życia niż gruźlik kupujący wagon fajek. I zafajdane życiorysy, już ja się o to postaram! Natychmiast mnie puścić! Bo wylądujecie z powrotem na tej waszej wsi i będziecie ścigać złodziei lizaków na przerwach w podstawówce... Auuuu, to boli!

– Mateusz, a jeśli on rzeczywiście...? Zrewiduj go.

– Ppppaa... anie nadkomisarzu, najmocniej przepraszam. Nie wiem zupełnie jak to się mogło stać. Fatalna pomyłka – obaj stali przed Nawałą na baczność.

– Natychmiast mi tu posprzątać! Jeszcze się zastanowię, co z wami zrobię. I znaleźć mi telefon!

– Proszę! – Nawała podjął przerwaną wstydliwymi wypadkami rozmowę. Jego twarz, zmęczona i zła, tężała w miarę rewelacji, jakie docierały do jego uszu, aż wreszcie wyrwało mu się na cały lokal:

– Jak to nie żyje od dwóch lat?! – po czym kazał się wieść patrolowym radiowozem do kostnicy, gdzie spoczywało ciało hrabiny de Szumiejskiej.

Szum miasta. Śmiech wycieczek przewalających się przez Rynek. Śpiewy pijanych Anglosasów w świecie Jagiellonów. Rozstrojona gitara grajka smętnie pochylonego nad czapką z drobnymi. Dzwonek pojazdu, „w którym d...a siedzi, a nogi chodzą", jak pisał Malczewski w „Pępku Świata", ten właśnie, a nie ojciec, we wspomnieniach z Zakopanego. I wieczne korki, powodowane przez cechy jezdne samochodów albo roztargnienie ich właścicieli, jak wtedy, gdy niezabezpieczona maszyna sama wytoczyła się na środek Zwierzynieckiej i zablokowała najpierw „jedynkę" na Salwator, a za nią stanęły inne niebieskie tramwaje i autobusy... W ten szum miejski wdarła się wiadomość jak świst lancy w ciszy urzędniczo-artystycznego popołudnia: „Kolejna staruszka zabita!" – jak napiszą jutrzejsze gazety – „Czy w Krakowie działa seryjny morderca?". Ale to będzie jutro.

3

Ivo wszedł do przyczepy Adeli, otwierając ją legalnym kluczem na różowej wstążce. Tracąc równowagę na rozlanym podkładzie do twarzy, wyrżnął głową o brzeg stolika, z którego pospadały puste butelki, tocząc się żałośnie pod łóżko. Włożył rękę w ciemną przestrzeń pod posłaniem i nie kryjąc obrzydzenia zorientował się, że natrafił tam na coś bagnistego. Resztki starych kobiecych pism gniły zmieszane z na wpół opróżnionymi kremami z alg i aloesu. Ręka w nocniku byłaby przyjemniejszą perspektywą niż to doświadczenie, bo nocnik rzeczywiście stał obok. Adele, jak mówiła do niej stara ciotka semickiego pochodzenia, emigracja 1968, trzymała w nim biżuterię, szwajcarskie czekoladki i stare, czarno-białe zdjęcia. Sięgała po niego nocami, w nagłej potrzebie. Ta nagła potrzeba pojawiała się jako rezultat bezsenności, która często trapiła młodą adeptkę dziesiątej muzy. Ale

Ivo o tym jeszcze nie wiedział, bo i skąd? Odstawił nocnik, podszedł do małej umywalki, odkręcił kran i czekał. Nic. Zamiast wody poleciała po chwili odżywka do włosów. Zdumiony Ivo postanowił zaprzestać jakichkolwiek działań w przyczepie do czasu powrotu właścicielki, co wydawało się najrozsądniejszym wyjściem. Usiadł na zatłoczonej od ubrań kanapie. Ale tu czekała na niego kolejna niespodzianka. Z różowego sweterka we wzory w pepitę wyleciała seria pasty do zębów, układając się na ścianie, podłodze i krzesełku w nieregularną linię strzału. Zapachniało miętą. Ivo stracił już na dobre chęć penetrowania tej krainy czarów, która przy każdym, nawet najmniejszym ruchu ukazywała swój zaskakujący potencjał. Poczucie przyzwoitości nakazywało mu posprzątać pastę, ale kto wiedział, do jakiej większej katastrofy mogłoby to doprowadzić? Delikatnie, powoli, oparł się o burtę skromnego lokum. Nic się nie wydarzyło. Postanowił pozostać w takiej pozycji. Minęło pięć minut, dziesięć. Bezruch zaczynał być jednak denerwujący. Pomimo obawy porażenia prądem, włączył łokciem radio i włożył ręce do kieszeni marynarki. Było dość chłodno. Didżej w radiu nadawał smętne, polskie country z Krzysiem Krawczykiem. „Chciałem być piosenkarzem..., marynarzem.... tysiąc pięknych kobiet mieć...". Ivo podjął dialog z wokalistą. „Chciałem być policjantem.... tysiąc pięćset złotych mieć..." Uśmiechnął się do siebie na tę zjadliwą satyrę na pensje w budżetówce. Na szczęście był objęty specjalnym programem wynagrodzeń, aby nie uciec w szarą strefę. Wypłaty dla asów były objęte tajemnicą i przekazywane w osobnym okienku w komendzie. Włożył papierosa do ust. Zaczął przeszukiwać kieszenie w poszukiwaniu zapalniczki. Zgubił? Kiedy? Może w trakcie szarpaniny w „Nic Nowego"? Nie odważył się jednak na ruch w kierunku kuchenki gazowej, w którą wyposażona była przyczepa, choć tam był ogień. To mogło się skończyć budyniem na twarzy, który rzeczywiście tam stał, niedojedzony. Jeszcze raz przeszukał kieszenie i nie znalazł zapalniczki. Natknął się natomiast na dwa anonimy do Adeli. „Pierwszy miałem przy sobie od momentu, gdy mi go dała. Skąd drugi? Z podłogi kawiarni!" – Ivo myślał precyzyjnie i ze zdziwieniem stwierdził, że kolejna kartka z wytarganymi z gazety literami: „Tatuś przyjdzie jutrzejszej nocy, bądź gotowa, laleczko", pochodzi albo od Nawały, albo od samej Fajfusówny! Nie mogąc wykluczyć pierwszego, postanowił pomimo niebezpieczeństw przejrzeć przyczepę w poszukiwaniu kleju i pociętego czasopisma używanego przez szantażystkę, jeśli była nią Adela. Najbliżej od łóżka znajdowała się mała szafka, z kilkoma szufladami. Otworzył pierwszą i od razu z obrzydzenia odwrócił głowę. Na dnie szuflady leżały wspomnienia Adeli z dzieciństwa – zęby mleczne, szkielet ukochanego cocker spaniela oraz pęknięta błona dziewicza. Zamknął tę szufladę i otworzył kolejną. Mnóstwo artykułów i wywiadów z Fajfusówną, wszystkie w stanie nienaruszonym. W kolejnej – skórzana bielizna, jakieś żele, kulki i kilka rodzajów sztucznych penisów. Wtedy usłyszał silnik swej alfy. Przez okno wpadł snop światła z samochodowych reflektorów i cień jednej z zabawek padł na drugą ścianę przyczepy. Łebski z zawodowego przyzwyczajenia natychmiast starł odciski palców z penisa, wstał z miejsca i ruszył w kierunku parkującego samochodu.

Antoni wstał z miejsca, gdy jakiś grubas wszedł do pokoju przesłuchań. Otworzył teczkę z dokumentami i przez kilka chwil w milczeniu studiował dokumenty.

– Siadaj, chłopcze.

Patrząc na z gruntu niewinną twarz studenta ASP, Nawała choć bardzo chciał, nie potrafił przekonać sam siebie, że siedzi przed nim seryjny morderca staruszek. „Ten młody co najwyżej mógłby przeprowadzać staruszki przez przejście dla pieszych, a nie je zabijać".

– Może mi wytłumaczysz, dlaczego z sekcji zwłok wynika, że twoja babcia nie żyje od dwóch lat?

– Co?! – Antoś zrobił wielkie oczy. Wypadło to nadzwyczaj naturalnie, więc Nawała zaznaczył w tabeli wyników przesłuchania punkt dla młodzieńca. Ale niczego nie można było wykluczyć. Nawała otworzył szufladę i nagłym ruchem rzucił w kierunku Antoniego jakiś przedmiot. Szumiejski zareagował prawidłowo. Trzymał w rękach słoik miodu - najprzedniejszego, kwiatowego.

– Oddaj – włożył słoik w wyciągniętą rękę policjanta. – Masz błyskawiczny refleks. „Dwa lata różnicy pomiędzy zdarzeniami świadczyłyby o wyjątkowo melancholijnym charakterze złoczyńcy – myślał Nawała, wpisując kolejny punkt dla Antoniego – a prosty test wykazał, że melancholikiem nie jest".

– Co robiłeś dwa lata temu, we wtorek, osiemnastego maja, od 16.00 do 17.30?

– Jeśli nie malowałem, to nie wiem.

„Logiczne w przypadku pacykarzy z akademii. A te barany w laboratorium znowu nadużywają odczynników i stąd takie absurdalne wyniki sekcji". W tym roku już dwa razy posyłał głównego technika na wcześniejszą emeryturę z powodu uzależnienia od formaliny, a on wracał.

– Nie udawaj Greka. Nasi kryminolodzy stwierdzili duże pokrewieństwo twojej babci z Tutanhamonem, a dokładniej z jego mumią.

– Owszem, babcia była wiekowa, ale żeby aż tak? Pan komisarz żartuje sobie ze mnie, prawda?

Nawała uśmiechnął się pod nosem i znowu wpisał punkt dla Antoniego, ale badał go dalej.

– Nie sądzę, że zabalsamowałeś ją dla pieniędzy, bo hrabina nie pobierała żadnej renty. Gdyby tak było, siedziałbyś piętnaście lat. Pozostaje otwarte pytanie, dlaczego to zrobiłeś.

– I za to siedzę? Bo właściwie nie zostałem poinformowany.

– Mamy informację, że na studiach plastycznych, oprócz pejzaży i abstrakcji interesowałeś się starożytnym Egiptem, a zatem... – młody Szumiejski miał zaskoczoną minę, więc Nawała wpisał punkt dla siebie.

– Na śmierć zapomniałem! Jutro mam egzamin z historii sztuki! Muszę na nim być!

– Pójdziesz, pójdziesz, ale gdy sobie wszystko wyjaśnimy. – Nawała uznał to za sprytną zmienę tematu, ale nie dał się nabrać.

– Nie mam co wyjaśniać. Każdy na roku interesuje się starożytnym Egiptem, bo mamy ciętego profesora. A moją babcię zabił ten warszawiak, Łebski, zdaje się?

– Tak, to niebezpieczny typ, ale może współpracujecie?

– Dlaczego jeszcze mnie tym dręczycie? Moja babcia nie żyje. Muszę zająć się pogrzebem. Jak tak można? Mam prawo do adwokata! – Antoś potrącił kubeł ze łzami, Nawała to przeczekał, podał przesłuchiwanemu chusteczkę jednorazową, a on wysmarkał nos.

– Adwokat pojawi się w momencie postawienia zarzutów. Na razie siedzimy sobie tutaj, paląc lucky stricke, jak prawdziwi twardziele – Antoś w życiu nie wypalił tylu biernych papierosów, co podczas ostatnich kilkunastu godzin – ...i rozmawiamy. Spokojnie, bez nerwów... – Nawała nagle wstał, przechylił się przez biurko, złapał przesłuchiwanego za golf i przyciągnął do siebie – Będziesz mówił czy nie? Zabiłeś i zabalsamowałeś swoją babkę, prawda?!

Antoni przypatrywał się zaczerwienionej twarzy oficera i zastanawiał się, jakich farb użyłby do namalowania portretu tego mężczyzny, któremu z gęby zajeżdżało tytoniem i wędrowaniem po szkle.

– Zaszła jakaś gruba pomyłka. Nie zabiłem mojej babci, nie zabalsamowałem jej, jestem niewinny! – I tu, Antoni przypomniał sobie moment, gdy w dzieciństwie dotknął się żelazka i głośno załkał. 4:1.

Nawała pozwolił chłopakowi usiąść, podał mu znowu chusteczkę, a sam, opadając na krzesło, poprawił koszulę, która już dawno wyszła z mody i paska. Zaśmiał się przy tym sztucznie.

– No, już dobrze, chłopcze, takie tam policyjne sztuczki – otworzył szufladę i podał też Antosiowi lizaka – Zobacz, tak wygląda prawdziwy, policyjny lizak.

Antoni wziął go do ręki i zaczął lizać.

– Ależ nie, głuptasie, to nie jest lizak do lizania, tylko do zatrzymywania samochodów.

– Chciałem tylko sprawdzić...

– Masz tu prawdziwego cukierka i przestań się mazgaić. – Antoni odwinął z folii policyjną krówkę i włożył ją do ust. Właściwie było już po przesłuchaniu, cukierek zablokował aparat mowy aresztanta na dobre. Ale był to sprytny wybieg doświadczonego stróża prawa.

– Wiesz, miałem jamniczkę, która zmarła w ubiegłym tygodniu. I nie było czasu na pogrzeb, więc trzymam ją jeszcze w lodówce. Może gdybym cię poprosił, to zabalsamowałbyś mi ją? A ja wstawiłbym pieska na takie małe kółka i jak co roku, pojawiłbym się na paradzie jamników na Rynku, hę?

Antoni przestał mlaskać. Zapadła grobowa cisza.

– Powtarzam panu, nie potrafię balsamować – dało się słyszeć przez karmelową masę.

Nawała sięgnął ręką pod blat biurka, nacisnął przycisk na wartownię i po chwili zjawił się policjant, który odprowadził aresztanta do celi. Przesłuchanie skończyło się wynikiem 5:1 dla Szumiejskiego. Bardzo dobry wynik, jak na debiutanta.

„Wisła! Wisła!" – niosło się po całym tramwaju. Nie był to comiesięczny zjazd Krakowskiego Towarzystwa Hydrologicznego, lecz kibice wracający ze zwycięskiego meczu. 5:1, przegrana Górnika.

Rozmaryn przesunął się bliżej szalikowców, bo akurat nie miał biletu, a wiadomo, że ich nie sprawdzają. Przygotował sobie nawet okrzyk „Wisła!", gdyby doszło do kontroli.

Wyszedł z tramwaju na placu Wszystkich Świętych. Miętosząc w ręku ulotki dwóch restauracji i szkoły języka hebrajskiego, Grodzką dotarł do Rynku i był akurat w jego połowie, gdy pierwszy podmuch silniejszego wiatru dopadł jego fryzury.

– A to co? – zaskoczony przytrzymał grzywkę, rozejrzał się po wzburzonym wiatrem Rynku i ruszył dalej. Kilka parasoli kwiaciarzy leżało na ziemi, a rozsypane na chodniku róże poruszyły w sercu aktora jakąś boleśnie wzniosłą nutę. Stłamsił to uczucie jeszcze w pąku, rodem z drugiego roku aktorstwa, rozdeptał nawet dwa kwiaty i nie zwracając uwagi na złorzeczącą kwiaciarkę, wlazł w Szczepańską, na której pod numerem jedenastym mieściło się Muzeum Wyspiańskiego.

Po chwili wpatrywał się w „Macierzyństwo", nadal wiszące na piętrze kamienicy Szołayskich. Młoda matka trzymająca z oseskiem odciągnęła uwagę Rozmiego od celu wyprawy, bo sama zajęta była czymś najważniejszym na świecie. Ciepłe pastele

i mleczna pierś, podana czułym gestem, sprawiły, że oczy znanego serialowego aktora zaszkliły
się. Na tę krótką epifanię stał się brakującą postacią zamykającą obraz od strony patrzącego, i nawet przez moment wydało mu się, że to on sam,
w rękach matki ssie tą miękką pierś. Czuł słodki
pokarm płynący do gardła. Kwiaty pachniały lip-
cowym ogrodem, a siostry przystanęły i zamilkły,
patrząc na scenę pełną czułości. Ktoś wszedł do
sali muzeum, Rozmi poruszył się. Obraz zniknął,
a z mroków pamięci wychynęło widmo ojca, paku-
jące walizkę w ostatni wieczór przed rozwodem.
Półka w łazience, na której stał pędzel do golenia,
opustoszała. Zniknął też z korytarza wypchany al-
batros, ojcowska pamiątka z wojska. Widział jeszcze jego wysoką postać znikającą w wylocie ulicy
– z walizką, w kapeluszu i z albatrosem pod pachą. Matka płakała, a on przytulał się do niej, cały
czas czując w powietrzu zapach męskiej wody ko-
lońskiej. Rozmaryn wzdrygnął się od tego wspomnienia. Ojca szczerze nienawidził. „I to debilne
imię, które mi nadał!". Gdyby miał kiedykolwiek
namalować obraz dopełniający „Macierzyństwo",
to zwróciłby się z prośbą o pozowanie do grzyba
atomowego albo pojechał na złomowisko; tak by
namalował tatę.

— Proszę pana, już zamykamy – kobieta pilnu-
jąca sali podeszła do Rozmaryna i wyrwała go z za-

dumy – A, to pan? Jadwigi nie ma dziś w pracy. Z powodu tego pogrzebu.

– To pani mnie zna?

– Jadwisia tyle o panu opowiadała – Rozmi był niepocieszony, po co tyle rozgłosu? – No a teraz, ta tragedia.

– Tak, wiem. Przyszedłem pooglądać obrazy.

– Prawda, że piękny? – i tu koleżanka jego ostatniej narzeczonej napluła na rękę i wygładziła odklejający się od ramy papier.

– Ależ, co pani robi?! Przecież to Wyspiański!

– Powiem panu w tajemnicy, że to nie oryginał. Jadwisia pożyczyła go sobie na czas pogrzebu, bo starsza pani chciała go koniecznie zobaczyć, ale już nie zdążyła. – Tu opowiadająca zachlipała. – Pewnie teraz patrzy biedna staruszka z trumny na to arcydzieło. – Kobieta otarła łzy. – My tu zresztą wszystkie sobie pożyczamy obrazy, szczególnie na weekendy. Bo normalnie, jak są ludzie w muzeum, to trudno spokojnie studiować kreskę.

Rozmaryn ukłonił się i podekscytowany opuścił kamienicę przy Szczepańskiej. Wstąpił naprzeciwko, do „Czerwonego Koguta". Kazał nalać dwa piwa i rozpoczął zimne kalkulacje. „Gdyby udało się przejąć obraz od Jadwigi, to przy odrobinie wysiłku wystarczy śledzić pozostałe babki z muzeum i w ten sposób pozbyć się debetu! Jak one je noszą? Zwinięte w rulony czy w ramach?"

– Barman, jeszcze jedno!

Rozmaryn rozwijał się. „Wejdę do mieszkania przez balkon, zabiorę co moje i po sprawie". Zaciągnął się. „A gdy odbiję się od dna, to kupię nowy wóz, naostrzę wędki i zacznę wreszcie porządnie grać na wyścigach".

„O mój rozmarynie, rozwijaj się! O mój rozmarynie rozwijaj się! Pójdę do dziewczyny, pójdę do jedynej, zapytam się..." – reżyser Dyjma, nadal pozostający w zamknięciu, dla dodania sobie otuchy śpiewał pieśni patriotyczne. Był na skraju załamania nerwowego. Przed oczami przelatywały mu obrazy wszystkich jego małych i większych kompromisów. Szedł w show biznes z „Marsylianką" na ustach, a wyszły z tego songi Rynkowskiego czy innego twórcy biesiadnego. Raz mówił do siebie, że nie ma po co pasów drzeć, by za kilka minut paść plackiem na podłodze i bić głową w beton: „Co ja najlepszego zrobiłem ze swoim życiem?!".

Nie przypominało to płatnych rekolekcji w zakonnych celach, które stały się bardzo modne: bez komórki, Internetu, telewizji, tylko na kaszy i kiełkach. Ludzie szli tam dobrowolnie, a on, tu – przymusowo. Na dodatek przez cały ten czas żył bez alkoholu, co powodowało gigantyczną depresję, wywołaną absolutną trzeźwością. Błagał porywacza choć o ćwiartkę gorzkiej żołądkowej, ale tamten był twardy. Wyprosił jedynie małe, tranzysto-rowe radio i całe dnie słuchał Radia Maryja. Inna sprawa, że tylko je udało się złapać w głębokiej, krakowskiej piwnicy.

Po czterech dniach nasłuchu postanowił prze-lać na konto rozgłośni dwa tysiące złotych. Wrę-czył porywaczowi kody do internetowego konta. Wprawdzie prośba była dziwna, ale została speł-niona. Świadomość, że sprawy zaczęły iść w zu-pełnie nieprzewidzianym kierunku, zajaśniała w głowie porywacza dopiero, gdy za sumę przele-wów można było już kupić samochód średniej kla-sy. Przy okazji znalazł się sposób na finansowanie większych wygód dla reżysera – patrz: przelewy jak wyżej, przez co zamiast sardynek w puszce, na jego stole zaczęły się pojawiać tuńczyki i inne delikate-sy, przynoszone ze „Złotego Rogu" na Królewskiej, jak wcześniej.

Czy to pod wpływem niechcianej trzeźwości czy rybek z puszki, ale najpewniej dzięki radiowe-mu katolicyzmowi, Dyjma zaczął przewartościo-wywać swoje życie, a myśli pęczniały od trafnych spostrzeżeń. „O mój rozmarynie" jest piosenką na wpół pornograficzną! Ten rozmaryn, to prze-cież..." – nawet nie kończył podobnych zdań, wzburzony, przy okazji żegnając się trzykrot-nie. Zdziwaczał. Zapadł się w sobie i w niczym już nie przypominał dawnego Dyjmy królującego w „Zwisie", lwa salonowego i postrachu młodych aktorek.

Porywacz ze zdziwieniem obserwował te zmiany, aż wreszcie zaniepokojony zaczął się dopytywać:

– Co się stało? Przecież celem zamknięcia miała być przemiana artystyczna, a nie religijna – maska nadal skrywała jego twarz.

– Bóg Ojciec Wszechmogący, jedyny w swej łasce, pokazał mi, jaki jest ten świat. Media kłamią. Żydzi opanowali rozrywkę. Czy może pan dokonać jeszcze jednej wpłaty na Radio Maryja?

– Zaraz do tego dojdziemy. A co pan sądzi o realizacji mojego scenariusza? Naniosłem ostatnie poprawki.

– Wie pan, przecież to naprawdę nie ma sensu. Pan mi przedstawił scenariusz filmu, w którym nie ma Boga. A tam, gdzie go nie ma, są masoni. Nie chcę kręcić filmu o masonach, a pan?

– To jest zbytnie uproszczenie. A nawet jeśliby tak było, to sam pan do niedawna był masonem.

– Dlatego postanowiłem z tym skończyć. Proszę, tu jest podanie do loży o rezygnację z członkostwa i zwrot składki, którą opłaciłem za cztery lata z góry.

– Czy nie interesuje pana los serialu, który miał pan kręcić? Przecież oni tam nie wiedzą, w co ręce włożyć.

– Przepraszam, ale za chwilę zacznie się msza. Czy nie moglibyśmy przełożyć tej rozmowy na jutro?

– Jutro musimy go zwolnić, inaczej będzie z tego niepotrzebna afera – usłyszał Nawała od oficera dyżurnego.

– Nie można mu postawić żadnych zarzutów?

– Mamy trupa i dwie kule w brzuchu. To jest powód śmierci hrabiny de Szumiejskiej. Przecież nie możemy powiedzieć prasie, że nie żyła od dwóch lat. W dodatku w tym czasie była sponsorem nagród w konkursie recytatorskim na komendzie!

– W tym, na którym ja... – Nawała podniósł ze zdumienia brwi.

Oficer skinął głową.

Nic nie szło. Zaloty Nawały zakończyły się pełną kompromitacją. Zamiast upiec dwie pieczenie na jednym ogniu – bohaterskie złapanie mordercy i zdobycie serca ukochanej, pokazał jej majtki, dał się pokonać i teraz na wspomnienie o tym już nie tyle palił się, co płonął ze wstydu. W dodatku pojawiły się nowe okoliczności – śmierć drugiej staruszki. „Znaczy trzecia śmierć – poprawił się – jeśli wierzyć tym z laboratorium. Trzecia, bo Szumiejska umarła dwa razy, a starsza pani z Jagiellońskiej raz. A może też była nieżywa od dłuższego czasu? Starsi ludzie czasami dziwnie się zachowują".

Nawała podszedł do okna. W dole liście pędziły chodnikiem gnane silnym wiatrem. Drobne gałęzie walały się po ulicach, a pochyleni ludzie, broniący swego dobytku przed żywiołem, przemykali pod ścianami domów. „W górach halny" – zawyrokował. Domknął wypaczone okno, usiadł przy stoliku do półsłużbowych rozmów i drapał się po głowie. „Wcześniej czy później dorwę Łebskiego. Wie, że mu nie odpuszczę. Przecież musi jakoś funkcjonować, jeść, pić, spać. Zaczniemy obserwować Adelę, a ona zaprowadzi nas do niego".

Założył płaszcz i zszedł do samochodu. Trzeba było jechać na miejsce i sprawdzić, w jaki sposób w tę drugą staruszkę wrobić warszawiaka. „I tak automatycznie jest głównym podejrzanym" – myślał. Policja według Nawały służyła do łapania przestępców, nawet jeśli nie pasowali do zbrodni. Ludzie w kwestii zachowania swego podstawowego prawa, prawa do wolności, zachowywali się mało elastycznie. Bronili go do upadłego. A skoro tak, to samą zbrodnię należało potraktować bardziej plastycznie i dopasować ją do człowieka. Być bardziej przebiegłym od mordercy.

Na miejscu zastał zapłakaną wnuczkę staruszki i zadał jej kilka pytań:

– Co tu się właściwie stało?

– Nie wiem, spaliśmy... znaczy spałam, w drugim pokoju, obudziłam się, poszłam do babci, żeby jak co rano wyłączyć radio, którego słuchała zawsze co noc, a tu – widzę, że nie żyje.

– Z kim pani spała? – Nawała mimo wszystko przyłożył się do przesłuchania.

– No, z... – dziewczyna wyraźnie nie miała ochoty na żadne zwierzenia. Zaczęła znowu płakać, mamroczać pod nosem „biedna babcia, dlaczego to się stało, co teraz będzie?" i inne, podobne kwestie.

– Na komendę z nią! – wydał rozkaz i zaczął rozglądać się po salonie. Większość ścian wypełniały obrazy. Wydawały się Nawale zbyt ciemne, zbyt stare. „Same morele, winogrona, zabite zające, co mnie to obchodzi?" – zadał retoryczne pytanie i przechadzał się po skrzypiącej podłodze, paląc papierosa. Ekipa pracowała nad zbieraniem śladów w sypialni staruszki. „To mogła zrobić ta dziewczyna. Kobiety świetnie potrafią się maskować, mają to w genach i w kosmetyczce". – Nawałę po latach praktyki stać było na błyskotliwą psychologię. – „Mieszkanie jest warte milion albo więcej. Trzeba sprawdzić, kto je dziedziczy, i jesteśmy w domu". Potrzebne mu to było do kolejnej figury operacyjnej, zwanej szantażem policyjnym. Ty mnie coś – ja tobie też coś. „Ta Jadwiga po czterdziestu ośmiu godzinach w celi zmięknie i podpisze wszystko – dedukował mistrz kryminalistyki, układając w głowie zeznanie obciąża-

jące Łebskiego. – Przy takim dowodzie Adela będzie moja i basta!"

Podłoga mocno zaskrzypiała. Zaciągnął się głęboko, z zadowoleniem. Stanął w oknie. Halny i tu
harcował po witrynach i zaułkach bram. Z prze-
wróconego kosza wicher wyłuskiwał co ciekawsze
śmieci, a naderwany afisz Starego Teatru łopotał
nerwowo i nijak nie można było się dowiedzieć,
jaka tam była premiera. Odwrócił się.

Teraz dopiero zauważył, że w mieszkaniu na
jednej ze ścian brakowało obrazu. Świadczył o tym
wyraźny ślad pozostawiony na tapecie, która przy-
czerniała na brzegach wiszącej tam ramy. Środek
jaśniał nieobecnością.

– Tak – powiedział głośno Nawała. – Zrobimy
jak w serialu kryminalnym. Gliniarz, który zszedł
na złą drogę, i biedna dziewczyna, zakochana
w nim po uszy. Nie wie, co się wokół niej dzieje.

– Wiem, kto zabił! – nagle, nie wiadomo skąd,
dobiegł go wyraźny głos. Rozejrzał się wokoło.
Raz, drugi. W pokoju nie było nikogo.

– Kie licho? Kto mówi? – z korytarza dochodziła krzątanina ekipy. Nawała sprawdził za zasłoną.
Jedną, drugą, za fotelem i w szafie. Z pewnością
był sam, więc jak to możliwe, że ktoś zwracał się
wyraźnie do niego?

– Wiem, kto zabił! – skoczył nerwowo przed
siebie, ale po kogo, po co?

– Mówię, że wiem! – w momencie, gdy usłyszał znowu głos, podniósł głowę do góry, bo przez sekundę wydało mu się, że to stamtąd dochodzi tajemnicze wołanie. I choć wydało się to wprost niedorzeczne, odkrył tajemnicę. Na górze, na suficie, wśród kopii głów wawelskich spostrzegł egzemplarz z otwartymi ustami, który po wypowiedzeniu wiadomego komunikatu znowu nieruchomiał.

Nawała wyjął pistolet i mierząc do drewnianej rzeźby syknął:

– Złaź stamtąd, bo będę strzelał!

– Stój w miejscu, bo będę strzelał! – usłyszał w mroku i stanął jak wryty. Ciągle włączone na wprost niego samochodowe reflektory powodowały, że mrużył oczy, a mimo to rozpoznał od razu Adelę, trzymaną za ramię przez jakiegoś oprycha. Łebski prędzej spodziewałby się tutaj widma komunizmu niż takiego towarzystwa.

– Ivo, ratuj! – starała się wyrwać porywaczowi, ale nie pozwolił jej na to.

– Puść ją, a nic ci się nie stanie! – blefował, bo zdawał sobie sprawę, że nie ma żadnych argumentów do prowadzenia trudnych negocjacji, na jakie się zanosiło. Zastanawiał się, czego chce ten facet. Z zaparkowanego dalej drugiego samochodu nadszedł następny. Na nocnych łowców autografów nie wyglądali. Odpowiedź nadeszła szybko.

– Panie, ja nic od pana nie chcę, tylko oświadczenie sprawcy. Podobno ta alfa to pana? Tak czy nie?

– Tak, a co chodzi? – Łebski nie wierzył ani jednemu jego słowu.

– Nie wierz ani jednemu jego słowu! To są groźni przestępcy! – Adela krzyknęła w kierunku Łebskiego. – Byli w zamkniętym pensjonacie!

– My? W więzieniu? Nigdy! Ta pani ma skrzywione spojrzenie na świat, z powodu kariery chyba. – Musiała dostać kuksańca w bok, bo nagle jęknęła i osunęła się ku ziemi, cały czas przytrzymana przez tamtego. – Aaaa, o to chodzi! W pensjonacie „Róża", jasne, że byliśmy.

Ivo ruszył dwa kroki do przodu, ale drugi z mroku powiedział, że dla własnego dobra powinien zostać na miejscu.

– Kim jesteście?

– Jesteśmy kolegami Antoniego. Pozwolił nam pomieszkać u siebie, bo nie dali nam miejsca w akademiku. A ta pani porysowała mi samochód, tak że cały bok mam do lakierowania. A potem włamała się do naszego mieszkania.

– Nieprawda! Niczego nie porysowałam! – wykrzyknęła aktorka, która już zdążyła podnieść się z omdlenia. – No, może tylko trochę.

– A widzi pan? Niech pan poogląda alfę i moje bmw!

Ivo powoli podszedł do samochodu i zobaczył bok swej stopięćdziesiątkiszóstki. Zapakowana obok beemka też nie wyglądała na lekko przetartą.

– Adelo, powiedz mi tylko, czy to ty? – łagodnym głosem nakłonił Fajfusównę do przyznania się do winy.

– No i co pan na to?

– Ale dlaczego tak ją potraktowaliście?!

– Panie szanowny! Ja uwielbiam seriale, w których ona gra, to niezła du... – tu się ugryzł w język – to wspaniała kobieta. Ja w życiu nie uderzyłem żadnej! Ale co ona zaczęła wyprawiać, gdy tylko zacząłem domagać się swoich praw! Normalnie zwątpiłem w telewizję, kiedy wrzeszczała „Nie wiesz, kim jestem!". Potem było coś o policji i jakimś agencie. Panie szanowny, tak się nie robi!

Ivo, przyjrzawszy się z bliska rzekomym studentom, zaczął nabierać uzasadnionych podejrzeń, co do ich prawdziwego zajęcia. Jeśli nawet silili się nie rzucać mięsem i gadać elitarnie, to zdradziła ich siłownia.

– A co wy właściwie studiujecie?

– My? – spojrzeli na siebie, Łebskiego i pistolety, które trzymali w rękach. – Jesteśmy na Akademii Wojskowej. Akurat czyściliśmy broń, gdy ta pani do nas przyszła.

Adela stała, cicho pochlipując.

– No dobrze, zgadzam się na oświadczenie sprawcy, ale najpierw puścicie tę panią.

Obaj kiwnęli głowami na tak i Adela podbiegła do Ivo, obejmując go ramionami.

– Mój kochany, myślałam, że ten koszmar nigdy się nie skończy – wpiła mu się w usta i trzeba przyznać, że ten pocałunek w świetle samochodowych reflektorów wyglądał niezwykle efektownie.

– A teraz pora, żebyś się z nimi rozprawił – szepnęła mu do ucha, spodziewając się scen na żywo.

Tamci odchrząknęli.

– Dajcie to oświadczenie!

– Ależ...

– Cicho, moja droga, wiem, co robię.

Jeden z nich podał Łebskiemu papier, który należało wypełnić. Teraz z bliska widział ich łyse głowy, małe, złe oczka i tatuaże na dłoniach. To nie byli studenci. Co robili w pensjonacie na Cichej? Tego jeszcze nie wiedział. Na szachistów nie wyglądali, ale mógł się spodziewać, że do tajemniczego szachisty mogli go zaprowadzić. Coś mu podpowiadało, że jeszcze się kiedyś spotkają. No i poza tym mieli rację. Adela porysowała oba samochody. Nawet zakładał podobną ewentualność, gdy wysyłał ją po alfę. Skończyło się, niestety, w najgorszy z możliwych sposobów.

Było to standardowe oświadczenie dla zakładu ubezpieczeń. Tu sprawca, tu poszkodowany, rysunek i opis. Spisali je szybko i Ivo już miał się podpisać, gdy w oko wpadł mu akapit drobnym drukiem, u dołu strony.

– Co jest? – tamci wydali się zaniepokojeni.

– A co to takiego? – Ivo wskazał na fragment, który zwrócił jego uwagę.

– Normalka. Urząd tego wymaga.

– „Oświadczenie filozoficzne"? Pierwszy raz o czymś takim słyszę.

Na to włączyła się Adela.

– Tu rzeczywiście tak jest, w tym mieście znaczy, bo gdzie indziej nie. Nasz kierowca z planu też miał stłuczkę i podpisywał to samo.

„Niniejszym oświadczam, że zgadzam się z twierdzeniem, że w jednej i tej samej płaszczyźnie ruchu może poruszać się tylko jedna osoba lub jeden pojazd. W przypadku przecinania się płaszczyzn, po których poruszają się pojazdy lub osoby w ruchu postępującym, zasady, według których oni lub one się przecinają, regulują przepisy ruchu drogowego oraz prawa fizyki. Zasady mechaniki kwantowej są mi znane. Wszelkie wątpliwości w spornych kwestiach reguluje „Historia filozofii" Władysława Tatarkiewicza i szczególna oraz ogólna teoria względności Alberta Einsteina".

– Panie, tu jest Kraków, ja też się dziwiłem z początku. Spod Tarnowa jestem – jeden z podstawionych studentów zaczął się niecierpliwić.

– Kraków, miasto magiczne – powiedział Łebski ni to do siebie, ni do Adeli, kręcąc z niedowierzaniem głową, podpisał się zamaszyście.

Porywacz kręcił z niedowierzaniem głową i odczytywał jeszcze raz z kartki zakupy, które miał zrobić dla więźnia: „Włóczka w kolorze bordo, druty i podręcznik. Zdaje się, że nastąpiły zmiany, których się nie spodziewałem".

– Po co to panu?

– Postanowiłem zrobić dla siebie beret, będący w tym kraju symbolem wolności i niezależności jednostki. Czy może pan to dla mnie kupić?

– Spotkaliśmy się po to, żeby przekonać pana do zrobienia czegoś wielkiego dla polskiej sztuki. Cieszy mnie pańska gotowość do pracy, ale dlaczego chce pan działać w rzemiośle? – Porywacz starał się zrozumieć istotę przemiany reżysera i jej kierunek. Zbadał wnętrze lochu i nie znalazł nic, żadnej lektury, broszur, czegokolwiek świadczącego, że Dyjmę nachodzą świadkowie Jehowy. Biedak nie zdawał sobie sprawy, że iluminacja nastąpiła z góry, przez małe tranzystorowe radio, które reżyser wyłączał zawsze na czas wizyt oprawcy, nie z jakiegoś szczególnego powodu, ot, po prostu, bo tak było wygodniej. – A więc, o co tu, do jasnej Adeli, chodzi?

– Błądziłem do tej pory, ale teraz już odnalazłem swoją własną drogę. I ludzie tacy jak ty powinni pójść za mną. Tylko Bóg jest miłością i szczęściem. Żydzi, komuniści, którzy rządzili nami do tej pory, znowu chcą przejąć najważniejsze organy w państwie. Musimy walczyć. Do boju, Zakon Marii! To jak będzie z tą włóczką?

Porywacz kręcił z niedowierzaniem głową i powtarzał: „To nie tak miało być, nie tak...". Starał się rozgryźć Dyjmę. Czy dwa tygodnie odosobnienia powodują aż takie zmiany światopoglądu? Że spopieliniały przedstawiciel sztuki filmowej, imprezowicz i sybaryta może się zmienić we wcielenie średniowiecznego pokutnika z trzeciej ligi? Obserwował dokładnie gesty, mimikę, słuchał uważnie wyznań Dyjmy i nie odnalazł w tym żadnej gry, lecz autentyczne przejście do postrzegania świata w infantylnie manichejski sposób.

Spróbował jeszcze małej sztuczki. Udał, że wychodzi po włóczkę i wrócił cichcem pod drzwi piwnicy. Zajrzał przez szparę w drzwiach, a tam, klęczący na podłodze reżyser powtarzał pacierze.

– W imię ojca i syna. I ducha świętego, amen – niósł się po piwnicy szept.

Po zrobieniu zakupów wrócił do aresztanta i podał mu włóczkę.

– A może pan też coś chce na drutach?

– Nie, dziękuję. Widział pan to? – podał mu „Express". Na pierwszej stronie zdjęcie Dyjmy i podpis: „Reżyser odnaleziony!". Artykuł mówił o wznowieniu pracy na planie serialu razem z reżyserem Dyjmą. Dziennikarze bagatelizowali sprawę jego zniknięcia, który wytłumaczono im, że wziął za dużo tabletek na sen i po prostu zasnął na dwa tygodnie. Biorąc pod uwagę wiarygodność i branży, i gazety, wszystko ttrzymało się kupy. Jednak tu, dwa metry pod ziemią, sprawy wyglądały trochę inaczej.

– Kim pan jest? Reżyserem? A może od początku był pan podstawiony? Przez kogo i dlaczego? Kim jest tamten?

– Nie wiem, kim on jest. Trzeba przyznać, że bardzo podobny do mnie. Może znaleźli sobowtóra, żeby producent nie wycofał pieniędzy? Ale ja, to ja! – tu uderzył się w pierś – Rabarbar Dyjma! Mam małą brodawkę na lewym pośladku, od dzieciństwa. Chce pan zobaczyć?

– Darujmy sobie te intymności. Mnie bardziej interesuje odpowiedź na pytanie: „Co teraz?". Co ja mam z panem zrobić? Cały plan bierze w łeb!

– Jak to, co? Powinien pan mnie wypuścić.

– To absolutnie nie wchodzi w grę. Nie może być dwóch Dyjmów na świecie, w imię sprawy, której należy dokonać. To co najmniej o jednego za dużo. Przecież ludzie nie będą wiedzieli, kogo słuchać: pana czy tamtego? A poza tym, gdybyśmy teraz zaczęli kręcić wielkie dzieło, równolegle do serialu, wszyscy uznaliby pana za sobowtóra. Oryginał sobowtórem! Co za świat!

– Proszę się nie załamywać. Mnie też się to nie podoba, że jakiś facet się za mnie podaje. Nawet nie wiem, czy utrzymuje ten sam wysoki poziom humoru i ubioru, co ja. Przecież on pracuje na moje nazwisko! Niech mnie pan wypuści, a ja sam wyjaśnię, o co tu chodzi.

– Są dwa wyjścia. Albo pana wypuszczę, albo będę musiał zlikwidować. Nawet to drugie wyjście wydaje się lepsze, bo i tak nikt nie zacznie poszukiwań, skoro pan nie zaginął.

– Proponuję, żebyśmy razem poszli do niego, tego drugiego, i osobiście z nim pogadali.

Po chwili wahania porywacz zgodził się i uzgodnili warunki. Mieli zacząć od próbnego spaceru na wolności.

Antoni wyszedł na wolność. Z ulicy Montelupich, gdzie przesiedział ostatnich trzydzieści godzin, na Nowy Kleparz było blisko. W ciasnych alejkach pachniało świeżym chlebem i owocami. Kilka babć z kwiecistymi chustkami zawiązanymi pod szyją sprzedawało kozie mleko. Kupił butelkę i od razu wypił.

– Ło jejku, ale to kawalerowi chciało się pić! Kupże jeszcze butelkę! – namawiały, komentowały i cmokały za nieborakiem, a on wybierał co ładniejsze owoce i wkładał je do plastikowej torby. Pierwsze pragnienie zaspokoił. Niestety nadal czuł się słaby i ledwie dowlókł się do pensjonatu. Otworzył drzwi i rzucił się łapczywie na martwą naturę. Zjadł, a później, nie zwlekając ani minuty, resztki z zakupów poukładał na stole. Zniósł z góry sztalugę i otworzył tuby z farbami. Ich zapach rozszedł się po całym pokoju. Kurz poruszony niespokojnymi ruchami Antoniego układał się w wirujące serpentyny, które opadając płaszczyznami, przecinane były przez wpadające do środka światło. To światło, rodem z Vermeera, przyprawiło młodego malarza o zawrót głowy, podobnie jak zapach farb, od których był na wpół uzależniony. Nawet próbował je jeść, a o tej przypadłości powie każdy malarz od serca i od żołądka.

W wielkim zapamiętaniu zaczął nakładać farby na blejtram, łamiąc wszelkie zasady kompozycji, jakie mu wpajano na uczelni. Podobnie było z koncepcją. Żadnej. Ładował kolory w płótno z bezpośredniością brazylijskiego piłkarza wykonującego rzut wolny bezpośredni. Tamten nawet nie musiał orientować się, gdzie jest światło bramki, a Antoni nawet nie patrzył na światło, zmieniające się wraz z wędrówką słońca i inaczej układające akcenty na pozującym mu jedzeniu. Nadal był głodny. Zarówno olbrzymiego, królewskiego obiadu, jak i malowania, ale sztuka była ważniejsza. I widać to było po jego zapalczywych ruchach. Jakby ten najzupełniej fizyczny głód zaspokajał malarskim zapamiętaniem. Malując jedzenie, pożerał je od wewnątrz, sycąc się miąższem owoców, ich kształtem i kolorem jednocześnie, nie gardząc też sztuką co ponętniejszej wędliny. Pędzlował z trzewi, z głębi kiszek, aż nastał wieczór i na wpół zemdlony padł na szezlong. Zamknął oczy ze zmęczenia i ze strachu, co też w takim szale mógł stworzyć. Nie miał już nawet siły jeść.

Minęło dobre pół godziny. Zapadł zmrok. Ciszę willi mąciło tylko tykanie zegara. Antoś budził się z odrętwienia, narkotyk przestawał działać. Ani malowanie, ani zapach farb już nie działały na niego i spoglądał na wszystko coraz bardziej trzeźwym wzrokiem. „Dlaczego zegar nadal chodzi? Przecież nikt go nie mógł nakręcić pod moją nieobecność". Zwlókł się z szezlonga i podszedł do rodzinnej pamiątki. Tyk, tyk, tyk... Spojrzał kątem oka, tam, gdzie obraz błyszczał w ciemności, ale postanowił na niego jeszcze nie patrzeć. Podobnie jedzenie na stole – napawało go jakimś szczególnym obrzydzeniem. Zdecydował, że pojedzie na obiad do „Polskich Smaków" na Szczepańską.

Już miał się zbierać do wyjścia, gdy na Cichą podjechał samochód z tuningowanym wydechem. Drażniący dźwięk odbijał się od fasad i Antoś wstrzymał się z ubieraniem. Znał doskonale ten dźwięk, choć przez chwilę miał nadzieję, że się myli.

Samochód zaparkował. Słychać było kroki, a wkrótce dzwonek. Antoni, siląc się na spokój, powiesił z powrotem płaszcz na wieszaku i otworzył przybyszom drzwi.

– O koleżko, mięso, gdzie to się wybierasz? A robota?

– Ani dzień dobry, ani co u mnie?

Dwóch znanych nam już panów, mówiących o sobie „studenci", wtarabaniło się bez pardonu do salonu i rozsiadło na stylowych meblach. Antoni oparł się o futrynę i czekał.

– Byłeś na komendzie, widzieliśmy jak cię brali. Co im powiedziałeś?

– Niewiele. A właściwie nic.

– Nie pytali cię o obraz?

– Nie. Tylko o babcię.

– Co to? – jeden z nich wskazał na świeżo pomalowane płótno.

– Kolarze na Wyścigu Pokoju – odpowiedział Antoś, co tamten skwitował głupkowatym uśmiechem. Sięgnął zaraz po kawał kiełbasy i papryki, które do niedawna były modelkami Antoniego.

– Zbieraj się, mięso, jedziemy. Już ciemno. Masz od dawna umówione spotkanie! I zabierz farby!

Tamtej nocy, tuż po spotkaniu z fałszywymi studentami Adela Fajfusówna ożywiła się nadspodziewanie szybko.

– Jesteś moim agentem! – szepnęła mu do ucha i wciągnęła do przyczepy, która falowała na resorach do piątej nad ranem. O wpół do szóstej też, gdy aktorka wypadła z niej na siusiu. I potem o ósmej, gdy Ivo wyskoczył pod płot za tą samą potrzebą.

Nie chciał być jej agentem, bo spodziewał się samych problemów, zresztą nie znał nikogo w branży, a sprawy przecież najszybciej załatwiało się przez znajomych.

– Nie o takiego agenta mi chodzi – zaśmiała się, wkładając jego koszulę na nagie ciało. Ivo nie miał wyjścia i założył w rewanżu jedną z jej bluzek, walających się po całej przyczepie. – Dobrze ci w oranżach – usłyszał komplement.

Po awanturze z Nawałą nie miał już żadnych wątpliwości, że żadnych *vacatio legis* nie będzie i nie było. Zamierzał zadzwonić i powiedzieć o tym w Warszawie, ale na razie skupił się na nowym pomyśle Fajfusówny.

– Przecież pod nieobecność Dyjmy możesz trochę go poudawać. Nasza charakteryzatorka to moja najlepsza przyjaciółka. Zresztą jest alkoholiczką i za wódkę zrobi wszystko. Będzie trzymać język za zębami, dopóki na języku procenty. – Wszystko to z początku było mało wiarygodne i Adela, widząc niepewną minę kochanka, nadal podkreślała zalety tego pomysłu. – Film ruszy z kopyta. Prawdziwi gliniarze przestaną się kręcić po planie i zostaną tylko aktorzy. Nikt nie będzie cię tutaj szukał, no i cały czas będziemy razem.

– Ależ ja nie potrafię kręcić filmu! Czy to nie jest wystarczający argument, żeby cały ten pomysł zostawić na boku?

– Ależ potrafisz! Każdy głupi potrafi, gdy ma tubę z napisem „reżyser" do dyspozycji.

– Tuba to nie reżyserowanie.

– A reżyserowanie to nie tuba – tu Adela zaskoczyła go ripostą. – Przecież tak szybko rozgryzłeś scenariusz. Wiesz o pracy w policji więcej niż my tu wszyscy razem wzięci. A wieczorem, po zdjęciach, będziemy się zabawiać na całego, jak to w środowisku filmowym bywa. Zobaczysz, poznasz całą masę niepotrzebnych znajomych. No i jeszcze Rozmaryn. Nie będziemy musieli się ukrywać ze związkiem, bo on swemu ulubionemu reżyserowi nie podskoczy.

Zgodził się z oporami, bo nic innego na razie nie przychodziło mu do głowy. Fajfusówna udzieliła mu kilku elementarnych lekcji aktorstwa i zaprezentowała sposób zachowania prawdziwego Dyjmy oraz intonację głosu.

– A wieczorem na Kazimierz, po jego ubrania. Potrafisz wchodzić do cudzego mieszkania bez zaproszenia?

Jadwiga weszła do pokoju Nawały na wyraźne „proszę!", które poprzedziło echo głośnej rozmowy zza drzwi. Dałaby sobie głowę uciąć, że w pokoju ktoś jeszcze był, ale nadkomisarz siedział sam. Sprawa zresztą miała się za chwilę wyjaśnić. Ręką wskazał jej krzesło i otworzył teczkę z aktami. Po kilkunastu godzinach w celi na Montelupich Jadwiga była zmarznięta, głodna i przerażona.

– Czego ode mnie chcecie? Chyba też jestem ofiarą tej straszliwej zbrodni?

– Pytania będę zadawał tu ja! – Nawała nie dał sobie odebrać inicjatywy, ale zamiast zadawać te obiecane pytania, nadal studiował akta. Było to elementem gry.

Nie wiadomo, na ile takim samym elementem okazał się telefon, który zaraz zadzwonił, i Nawała przez moment słuchał głosu w słuchawce, po czym powiedział:

– Nie wiem, skąd są tam moje odciski palców... Tak, byłem tam przecież... Może właśnie z tego powodu... Od kiedy porównujecie też moje odciski ze śladami sprawcy? – Nawała, wyraźnie zirytowany, stukał długopisem w blat biurka. – No więc? Stawia to mnie w kręgu podejrzanych... Co to do cholery ma znaczyć?! – Stanął już na równe nogi i rozmowę prowadził, wściekle uderzając aparatem o mebel. Gdy głos w słuchawce nadal obstawał przy swoim, Nawała trzema szybkimi ruchami roztrzaskał słuchawkę telefonu o biurko, a sam aparat rzucił w kierunku gabloty z pucharami. Szyba pękła i czerwona, plastikowa skrzynka ze spiralnym przewodem zadomowiła się wśród nagród nadkomisarza. Wiedział już, że będzie musiał posłać na wcześniejszą emeryturę kolejnego policyjnego technika. Nawet przez słuchawkę czuł od niego formalinę.

Usiadł z powrotem, przeczesał włosy i uspokoił oddech.

– Dureń! – nagle zaskrzeczało coś na biurku. Dopiero teraz Jadwiga zobaczyła drewnianą głowę z sufitu babcinego salonu.

– Ależ to przecież... – łzy nabiegły jej do oczu, bo przypomniała sobie i babcię, i dom, i tamten uroczy wieczór z Rozmarynem, kiedy dopiero się poznawali.

Nawała pacnął głowę aktami.

– Tak, aresztowałem ją również. – Z szuflady biurka wyjął dyktafon i włączył nagrywanie. – Konfrontacja świadka Jadwigi Pytlasiewiczówny i wawelskiej głowy – powiedział do mikrofonu, po czym ustawił urządzenie tak, by wszyscy mieli szansę uczestniczenia w tym medialnym show.

– Poznaje pani tę głowę?

– Oczywiście, była u nas w salonie.

– A ty, głowo, poznajesz tę kobietę?

– Daj inny zestaw pytań, bo padam z nudów – Nawała znów pacnął głowę aktami.

– Odpowiadać!

– Cześć Jadwisia!

– Cze..cze...cześć – padło blade z jej strony, bo nie wiedziała jak zachować się w tej dziwnej sytuacji.

– Dziękuję, już po przesłuchaniu! – Nawała wyłączył dyktafon, zapisał coś w papierach i trzasnął szufladą. – Wszystko jest już jasne. Proszę tu podpisać zeznanie – wskazał Jadwidze miejsce na czytelną możliwość.

– Jakie zeznanie? Co jest jasne?

– Że babcię zabił pani kochanek.

– Kto? Jaki kochanek? Dlaczego on?

Przesłuchujący wyjął rzutnik ze slajdami i włączył go do prądu. Pierwszy slajd pokazywał małego nadkomisarza na morskiej plaży z kolorową, dmuchaną piłką w rękach.

– O pardon, nie o to chodziło. – Pogrzebał w kolorowych kliszach i pokazał zdjęcie Łebskiego. – Oto on!

– Ależ ja go widzę po raz pierwszy w życiu!

– Jadwisia, no powiedz im prawdę, z kim chodzisz do łóżka?

Nawała znowu przyładował głowie aktami.

– Sprawa jest prosta. Może rzeczywiście widzi go pani pierwszy raz na oczy. Ale on jest jedyną możliwą osobą, która mogła to zrobić. To bardzo niebezpieczny człowiek. Jest jednym z nas, policjantów, a zdradził. Dlatego musi zostać ukarany.

– Ale ja nie będę podpisywać żadnych doku-
mentów, które obciążą niewinnego człowieka!

– Nie jest niewinny. Wiemy o tym. Pani rozpo-
zna w nim swego kochanka i to wystarczy. Reszta
należy do nas. Będzie mieć pani spokój do końca
życia.

– Ale jak... co...?

– Po prostu, poznała go pani w parku jorda-
nowskim. Zaintrygował, zagadał, zbałamucił,
a potem – ta niepotrzebna śmierć. W innym wypadku...

– Co w innym wypadku?

– Rozmaryn Pietrzykowski zostanie postawio-
ny przed sądem! A tego chciałaby pani uniknąć?

– A ja wiem, kto zabił! – głowa znowu włączyła się do rozmowy i została potraktowana w wia-
domy sposób. Ale Nawała posunął się dalej. Za-
tkał jej usta zwiniętą w rulon teczką, zdjął z biurka
i wpakował do szafki poniżej. Słychać było już tylko stłumione zamknięciem i kneblem okrzyki.

Jadwiga siedziała przygnębiona. Nie widziała co robić. Rozmaryn miał być aresztowany? Jej
prawdziwa miłość? Ten cudowny aktor z pierwszych stron gazet? No i na pewno powiedział-
by o obrazach, które wynosiła z muzeum. „Chyba o tym jeszcze nic nie wiedzą. Muszę ochraniać
i jego, i siebie!" – tak kombinowała w swojej nie-
uczesanej głowie.

Z wnętrza biurka dało się słyszeć większy hałas. Widocznie głowa wyswobodziła się z knebla i znowu chciała dorzucić do rozmowy swoje trzy grosze. Policjant otworzył szafkę i chlusnął do środka wodą z karafki.

– To jak będzie? Wystarczy tylko jeden podpis i Pietrzykowski zostanie na wolności. Pani pochowa babcię, a człowiek ze zdjęcia, którego nawet pani nie zna, pójdzie siedzieć. I nastanie sprawiedliwość.

Głowa znów domagała się wypuszczenia. Tym razem Nawała otworzył z rozmachem szafkę i z duplikatu służbowej broni oddał kilka strzałów w podróbkę zabytku.

– *Scheise!* – głowa zamilkła już na zawsze.

– Dlaczego pan to zrobił? Nauka nie znała jeszcze takiego przypadku... – przerażona Jadwisia patrzyła na Nawałę. – Czym ta głowa panu zawiniła?

– Podpisuj!!

Usłuchała. W tym momencie do gabinetu wbiegli policjanci zaniepokojeni odgłosem strzałów.

– Nic się nie stało, naprawdę nic. Wyprowadźcie panią!

Gdy aresztantka zniknęła za drzwiami, zadowolony z siebie Nawała patrzył na dowód winy Łebskiego. „No, teraz już mi się nie wymknie!". Otworzył szafkę w biurku, z której ulało się trochę wody i doszedł go nieprzyjemny zapach spalenizny.

– I tak wiem, kto zabił – okazało się, że głowa nadal żyła!

Zaskoczony Nawała poderwał się na równe nogi, znowu dobył duplikat broni i krzyknął w kierunku czarnej czeluści:

– Wyłaź, bo jak nie, jest już po tobie!

Głowa ani myślała się ruszać. Nawała włożył rękę w biurko i po chwili po całej komendzie poniósł się przerażający ryk ugryzionego nadkomisarza.

Jadwiga ryczała na ulicy, stojąc w otwartych drzwiach domu na Jagiellońskiej, w których właśnie znikała trumna, bo babcia wróciła razem z nią. Wypłoszone spod pieców sąsiadki pocieszały Jadwigę, ciągnąc na górę, pomimo jej oporu. Wreszcie Jadwidze zrobiło się słabo i ledwie trzymającą się na nogach odprowadzono do salonu. Tu ryknęła po raz kolejny, po czym padła zemdlona i nie ruszała się dobrych kilkanaście minut, ale lekarz pierwszego kontaktu stwierdził, że to nic poważnego, tylko reakcja holistyczna na całość ostatnich wypadków. Jadwiga rzeczywiście była ciągle w stanie głębokiego szoku. Zdarzenia, w których brała udział, pędziły jak obłoki: nagłe pojawienie się Rozmaryna w jej życiu, śmierć babci, aresztowanie, ten dziwny policjant w komendzie, człowiek ze zdjęcia...

– Jadwiga, jak ty wyglądasz? – koleżanka z pracy, która przyszła w odwiedziny po zamknięciu muzeum, podała jej lusterko i szminkę. Pomalowanie ust niewiele dało. Bladość twarzy stała się jeszcze bardziej trupia. – Co się z tobą dzieje? Kiedy oddasz „Macierzyństwo"? Czy to mądre brać obraz na pogrzeb?

Jadwiga jednak uparła się. Babcia chciała popatrzeć ostatni raz na Wyspiańskiego z grobu i wnuczka postanowiła spełnić ostatnie życzenie starszej pani.

Z tego samego źródła zaopatrzenia co babcia, postanowił skorzystać też Rozmaryn, który w trzy godziny po powrocie Jadwigi z więzienia wycierał buty przed progiem jej mieszkania, uśmiechając się szeroko.

– Witaj kochana, ale się martwiłem.

Wyraził grzecznościowe kondolencje i pomimo lekkiego oporu, zaczął rozbierać Jadwigę, która pod wpływem widoku kochanka, jakby zapomniała o wszystkim. Po chwili baraszkowali na wiekowych meblach należących jeszcze formalnie do stygnącej babci. „Jeszcze tylko jeden dzień i dam sobie spokój z tą prowincjonalną gęsią" – myślał Rozmaryn. Zapędził się nawet do komisu meblowego, bo te ludwiki i biedermeiery miały też niemałą wartość. „Ale nie warto być aż tak pazernym. Po meble wrócę jak będziemy kręcić drugą część serialu, bo na pewno będzie sukces".

Rozmaryn sięgnął odważniej pod spódnicę Jadwigi.

– Nie tutaj, oszalałeś?! – wyrwała mu się. Rzeczywiście, dość dziwne miejsce na amory. Z otwartej trumny spoglądała na nich martwa, starsza pani. Jadwiga zdjęła z powiek babci pięciozłotówki, żeby nieboszczka miała widok na muzealne pastele.

– Prawda, że piękny?
– Kto, ja?
– Nie, obraz.
– Ach tak, tak.
– I jaki oryginalny. Nie żaden falsyfikat.

„A co się takiego stanie, gdy w muzeum będzie wisiał falsyfikat? Nic, zupełnie nic. Przecież będzie taki sam jak oryginał. – Rozmaryn Pietrzykowski miał już w rękach upragniony obraz. – Teraz tylko dostarczę go na miejsce i po krzyku. Nareszcie się odkuję i będę miał jakieś zabezpieczenie finansowe na wypadek przegranej". „Macierzyństwo" Wyspiańskiego nie ważyło zbyt wiele, nie było też zbyt duże. Przekonał Jadwigę miłością do Wyspiańskiego. „Pożyczam go sobie tylko na jeden wieczór, żeby w ciszy i skupieniu kontemplować widoki niepowtarzalnej kreski" – mówił. Z po-

cząstku odmawiała, ale odegrał jej scenę z „Wesela",
którą pamiętał ze szkoły i uwierzyła, że od zawsze
kochał mistrza pędzla i pióra z Krakowa, jak się
wyraził. Wszystko to powodowało, że Rozmaryn
czuł się lekko i swobodnie.

W umówionym lokalu w Nowej Hucie miała się
dokonać transakcja, którą przedsiębiorczy aktor
zaaranżował kilka dni wcześniej. „Dwieście tysięcy
w gotówce. Ale kasa! Za serial będę miał sto tysięcy, czyli wyjadę z tego miasta jak prawdziwy król".

– Proszę pana, proszę pana – jakaś licealistka
zaczepiła go u wylotu św. Anny na Rynek. – Czy to
pan jest tym aktorem?

– Tak, to ja. Pewnie chcesz autograf? – naj-
częściej opędzał się od fanek w mało wybredny
sposób, ale przecież był w doskonałym nastroju.
Dziewczyna wpadła w zachwyt. – To rozepnij bluzkę i potrzymaj obraz.

Podpisał się flamastrem na jej biustonoszu. Było
to dość trudne na miękkim materiale, ale udało się
po kilku próbach. Zaczerwieniona z emocji dziewczyna oddała mu płótno i wyszeptała „dziękuję".

– A buziak? – Pocałowała go tak, że „Macierzyństwo" przez moment opierało się na erekcji. Wtedy trzasnął obok flesz aparatu i Rozmaryn oderwał
się od ust nastolatki. – Ej, co robisz? Oddaj aparat!
–- krzyknął w kierunku uciekającego paparazzie-
go, ale było za późno. Fotoreporter pobiegł w stro-

nę pasażu Bielaka i zniknął w bramie. Marne były szanse na jego odnalezienie. „Niedobrze się stało – Rozmaryn był niezadowolony. – Kij w oko całowanie się z małolatami, ale obraz! Obraz też był na zdjęciu! A jak się domyślą?"

Szybko jednak odrzucił nieciekawe myśli na bok i sunął dalej przez Rynek w kierunku postoju taksówek.

Ivo Łebski, idąc przez Rynek, minął postacie zbyt charakterystyczne, żeby nie zwrócić na nie uwagi. Najpierw było to dwóch mężczyzn, pierwszy – z kapturem naciągniętym głęboko na głowę. Drugi – w średnim wieku, w okularach, niby doskonale znana twarz, ale grzebiąc w pamięci niewiele się dowiedział.

Osobnik z kapturem trzymał tego w okularach na smyczy. Gdy przechodzili obok kościoła św. Wojciecha, wdeptanego w podłoże siłą wieków, mężczyzna na smyczy wyrywał się do środka. Drugi trzymał go na mocno naprężonej smyczy i odciągał od drzwi świątyni.

– Stój, mówię ci, stój! – brzmiało stanowczo. Policjant przystanął. „Kto to jest? Jakiś filozof czy pisarz z Pegaza?".

Nie podlegali pod żadne paragrafy, nawet nie pod obrazę moralności. „Gdyby byli w skórzanych gatkach, można by interweniować – pomyślał – a tak?".

Tamci zaczęli się oddalać. Drzwi Wojciecha były otwarte. Ivo wszedł do środka. Przeczytał, że to jeden z najstarszych zabytków Krakowa. 1000 lat. „Ależ tu ciasno. Jak w za długo pranym swetrze". Poczuł zapach wiekowego drewna, kadzidła, wyspowiadanych grzechów, które przyczerniły sufit. Ivo zaklinował się kolanami w małej ławce.

Osiem minut i dwadzieścia sekund wcześniej oderwał się od słońca promień i pędząc przez zimne otchłanie kosmosu dopadł wreszcie Ziemi. Przedarł się przez atmosferę akurat w miejscu opowiadania, a konkretnie do małego witraża św. Wojciecha. Bordowa płytka z szaty zasłużonego dla Krakowa biskupa przepuściła promień do środka kościoła. Oświetlił twarz siedzącego nieruchomo mężczyzny. „Idź za nimi!" – wewnętrzny rozkaz wyrwał Łebskiego z odrętwienia. Rozepchnął kościelną ławkę, która poddała się z trzaskiem. Zauważył wyraźne pęknięcie. Zdążył pogrzebać w kieszeni, z której wyjął kilka drobnych i wrzucił na ofiarę. Miedziaki smętnie brzęknęły o dno skarbonki. „Na czynsz na Rynku i tak nie uzbierają" – pomyślał, wybiegając na zewnątrz. Był na tropie.

Minął przewróconą twarz, rzeźbę Igora Mitoraja, w oczodołach której fotografowali się turyści. Nawet jakiś Japończyk zaczepił Łebskiego: „May you take a photograph, please?", ale Ivo odtrącił rękę z wystawionym aparatem. Plastikowe pudełko upadło na bruk, na co japoński turysta rozpłakał się, otoczony grupką współziomków. „W którym kierunku poszli? Albo na Szewską, albo Sławkowską, albo Szczepańską, bo przecież nie na Sienną, która była po drugiej stronie Rynku. Nagle przed nosem przebiegł mu jakiś inny facet z aparatem. „Czyżby złodziej?" Rozejrzał się za potencjalną ofiarą, ale nie dostrzegł żadnego poruzenia wśród spacerujących. Tylko z boku, u wylotu św. Anny stał Rozmaryn Pietrzykowski, trzymając pod pachą prostokątny papier. Dziewczyna obok zapinała bluzkę. „A ten tu co?". Nie było czasu na dalsze zastanawianie się. Wpadł na Szewską i wytężając wzrok, dostrzegł ich. Byli już na samym końcu ulicy. „Udało się!". A jednak jego radość była przedwczesna.

Jak zawsze na tej ulicy ruch był spory, więc biegnąc, od razu wpadł na kogoś, przeprosił w biegu, dalej zaczepił rękawem rowerzystę, ten wjechał w kram z parówkami, zrobiło się zamieszanie, ktoś wskazał na Łebskiego, że to jego wina, Ivo wyciągnął pożyczoną od Nawały broń, powiedział, żeby się odchrzanili, bo właśnie trwa pościg, kopnął gołębia, rzucił spacerującym Izraelitom coś do słuchu i biegł dalej. Jednym słowem, sporo się działo zanim dotarł na koniec Szewskiej i stanął zdezorientowany. „Gdzie teraz?". Wydało mu się, że weszli do bramy ze sklepem z butami. Spróbował. Ciasne przejście na zapyziałe podwórze z ruiną kamienicy. Z prawej – magazyn z artykułami papierniczymi. Z lewej – przewracające się ogrodzenie. W górze – odrapana fasada, jakich wiele w Krakowie, i błękitne, jesienne niebo. Nikogo. Niebiosa, które olśniły go w Wojciechu, teraz milczały.

– Nic tu po mnie. Zgubiłem ich – podciągnął smutno spodnie.

Wychodząc z powrotem na ulicę, wszedł wprost na patrol Straży Miejskiej. Grupa Japończyków wskazywała go palcami, pokrzykując i gestykulując. Właściciel kramu z parówkami stał obok i zdenerwowany potłuczoną lampą rowerzysta też.

Ivo stracił półtorej godziny na niepotrzebną ucieczkę przed pościgiem, który zgubił dopiero w Wiśle.

Minęli most na Wiśle, przejechali przez Czyżyny, nijaką dzielnicę łączącą starą część Krakowa z Nową Hutą, i wjechali już w socjalistyczny sen architekta o robotniczym Paryżu. Od placu Centralnego rozchodziły się promieniście ulice, podobnie jak tam, dwa tysiące kilometrów na zachód, w stolicy Francji. „Nędzne mariwodaże piernatów kokosowych złudzeń" – zacytował klasyka; idealnie mu się Witkacy wpasował w te brudne formy, perwersyjnie i plastycznie. Antoni mimo wszystko wzdrygnął się, bo ostatni raz na Hucie był dwa

lata temu, grupą. Niewiele pamiętał, oprócz przy-
tłoczenia eksperymentem cywilizacyjnym na miarę powszechnej definicji szczęścia i systemu mo-
nopartyjnego. Plac Centralny jak komitet z tym
samym przymiotnikiem, był jak wybite oko smo-
ka. Pustego miejsca po Leninie współczesna epoka
nie potrafiła zapełnić żadnym z mocnych, demo-
kratycznych symboli, bo było ich zbyt wiele. Wy-
brano więc „...imienia Ronalda Reagana", ale kim
był Reagan, co zrobił?, o tym powoli zapominano.

Antoś pod eskortą wyszedł z samochodu wzbu-
dzającego niepotrzebne zainteresowanie. Bok był
mocno porysowany, dzieciaki pokazywały ich palcami.

– Co, mięso, z tym zrobisz? Po co nam mięsna
policja na karku?

– A kiedy mam, mięso, pojechać do blacharza?
Dasz mi wolne?

Skręcili z alei Róż i przez park Ratuszowy kiero-
wali się skosem na wschód.

Nowohucka starszyzna obsiadła parkowe ławki.
Laski stały oparte o drzewa, a przy marmurowych
stolikach do gry w szachy ich właściciele częstowali
się kiełbasą i wódką, wyciąganą z teczek ze skaju.

– Glutas, choć, napij się! – jeden z eskortują-
cych Antosia dostał zaproszenie i podszedł do nich
z zadowoleniem. Antoniego zaskoczyło, że obok
flaszki i kieliszka, z którego pili wszyscy, stały fi-

gury szachowe. Oni rzeczywiście grali. Partia wyglądała na bardzo zaawansowaną. Glutas wychylił pięćdziesiątkę, zerknął na stół i zaszachował gońcem. To był fenomenalny ruch. Białe od teraz miały przejść do defensywy.

W mieszkaniu na Osiedlu Słonecznym, gdzie się znaleźli, znów powiało socrealistyczną grozą. Wysoki, wąski korytarz poprowadził ich do obszernego salonu z nierównymi ścianami i błyszczącymi fornirem meblami. W gablotach stały kryształy, gipsowe odpustowe figurki i rzadkie książki w miękkich oprawach o bohaterach Planu Pięcioletniego i wojny widzianej spod hełmu opatrzonego czerwoną gwiazdą. Nawet firany w oknach i zasłony przypominające krepę były jak telegram z tamtych czasów. Że je kiedyś rzucili do sklepu i trzeba było biec.

– Przyprowadziliśmy murzyna – Antoś stanął naprzeciwko wysokiego mężczyzny, który przywitał go bladym uśmiechem.

Antylopa, jak o nim mówili, działał na rynku dzieł sztuki od ponad czterdziestu lat. Właściwie to sam tworzył ten rynek w czasach, gdy nie było mowy o prywatnej inicjatywie. Teraz, gdy wszystko się zmieniło, stare nawyki pozostały i nadal funkcjonował, ale już w podziemiu gospodarczym. Obcując od zawsze z pięknymi przedmiotami, nabrał nawyku doskonałego ubierania się. Widać to było w umiejętnym połączeniu materiału i koloru marynarki z kamizelką, koszulą, sztuczkowymi spodniami wyjętymi z obrazów Watteau i błyszczącymi butami w najlepszym gatunku. Jednak kryminalne otoczenie nie pozostało bez wpływu na wygląd szpakowatego pana. W przyszarzałych oczach tliło się oszustwo i jakieś pobłyski chłopskiego okrucieństwa. Palce i zęby pożółkłe od nikotyny, zbyt krótko przycięte włosy, ciągłe napięcie malujące się na twarzy burzyły obraz dystyngowania, które grzęzło powoli w rynsztoku. Antoni, mając dobre oko, doskonale to wychwytywał. Miał się więc na baczności, bo jak się okazywało, nie wszyscy starsi panowie obchodzą dzień dziadka i płacą abonament radiowo-telewizyjny.

– Glutas, trochę szacunku dla ludzi sztuki – ironia nie poruszyła ani jednej zmarszczki na jego twarzy. – Witam panicza, jak podróż? Co nowego?

– Nie przyjechałem tu na zwierzenia.

– Zgadza się, ale na miłość boską, trochę rozmowy nigdy nie zaszkodzi.

– No właśnie, chciałbym porozmawiać z babcią.

– Spokojnie, zanim rodzinka będzie mieć swoje pięć minut, my musimy porozmawiać. Zdaje się, że sprawy się nam trochę skomplikowały? Babcia oficjalnie już nie żyje?

– Tak, ten policjant z Warszawy, który dostał u nas pokój, zaczął strzelać którejś nocy i tamta babcia dostała dwie kule. Sprawa się wydała.

– Po co dzwoniłeś na policję? Dalibyśmy ci nowe ciało. Zabalsamowałbyś je i świat nadal byłby jak w Biblii. Policjanci i złodzieje. Dobrzy i źli, hę?

– Gdybym ich nie zawiadomił, to dopiero mogłoby się wydać podejrzane.

– Ale gliny nie są takie głupie, żeby się nie zorientować, że tamta starucha nie żyła od dwóch lat.

– Udawałem głupiego.

– I co, uwierzyli?

– Podejrzewają, że eksperymentuję z balsamowaniem zwłok. I chyba nie lubią się z tym, no, Łebskim, który strzelał.

– Jak on się nazywa? – Antoni zauważył, że na dźwięk nazwiska ostatniego lokatora pensjonatu „Róża" na ulicy Cichej, Antylopa wzdrygnął się, ale szybko jego twarz na powrót stężała do papierowej maski japońskiego teatru No.

– No, Ivo Łebski.

– Ivo, jesteś cały mokry, co się stało?

– Kąpałem się w Wiśle.

– O tej porze roku?

– Zaczęło się od rozmowy ze strażnikami miejskimi.

– I poszliście się razem kąpać?

– Właściwie to nie poszliśmy, a pobiegliśmy. I właściwie, to nie chciałem się z nimi kąpać, tylko oni chcieli.

– Gonili cię?

– Też. Dość długo. – Ivo wyciągnął zza paska mokry pistolet i położył obok kuchenki, na której grzał się bigos. – Przeczytałem gdzieś, że strażnicy miejscy nie umieją pływać, i wiesz, że w tym wypadku media nie kłamią?

– Szybko, zdejmij z siebie te przemoknięte rzeczy, bo inaczej złapiesz zapalenie płuc. A przecież potrzebuję cię na noce.

Adela więc od razu zajęła się dygoczącym z zimna narzeczonym i właściwie zostawmy ich teraz w spokoju.

4

Antoni wydostał się na korytarz i poszedł do pokoju w głębi. Drogę znał doskonale. Minął salon, gdzie, zerkając przez uchylone drzwi, zauważył Antylopę rozmawiającego z jakimś młodym, przystojnym mężczyzną. Wydało mu się, że była to znana twarz, może nawet jakiś aktor. Jaki? Niewiele go interesował świat seriali, więc zignorował zjawisko. Od razu zauważył za to obraz oparty o oparcie krzesła. „Wyspiański! Więc po to mnie tu ściągali".

– Babciu! – rzucił się w ramiona staruszki. – Wiesz, że właśnie minęły dwa lata?

– Wiem dobrze, wiem.

– Będziesz mieć znowu urodziny i znowu nie będzie tortu. Kiedy oni cię puszczą?

– Ten człowiek powiedział, że lada dzień, ale czy można mu wierzyć? Co w domu?

– Wszystko dobrze, dach naprawiłem, trawa przed zimą skoszona i zagrabiona.

– A ten policjant z Warszawy zrobił nowy ruch?

Antoni zaprezentował ostatnie szachowe posunięcie Łebskiego, wykonane przez Fajfusównę, i tylko osobą posłańca należy tłumaczyć fatalne jego skutki.

– Goniec na b5? Przecież to jest absolutnie bez sensu! Poddaje figurę, nic nie zyskując. Czy jesteś pewny?

– Ależ tak, babciu. Tak się ruszył – zerknął na szachownicę – Rzeczywiście, bez sensu. Może to jest jakaś pułapka?

– Nie sądzę, widziałam już wiele takich posunięć i świadczyły tylko o amatorstwie. Zbiła gońca i czarne opanowały lewe skrzydło.

Kto przesuwał figury zamiast Łebskiego, to było dla Antoniego bez znaczenia, choć przez moment zastanawiał się, jak to możliwe, że gra się toczy, skoro Ivo siedział za kratkami.

Był dobrym wnuczkiem. Starał się organizować czas babci w niewoli na wszelkie sposoby, aby starsza pani jak najmniej odczuwała niewygody. Gra to był jeden z elementów przetrwania. I należało ją kontynuować, nawet jeśli seniorka miałaby grać w szachy ze śmiercią, jak u Bergmana, a nie z Łebskim. Doszło już nawet do tego, że ekscytowała się każdym jego posunięciem. Jednak tym razem, patrząc na szachownicę, czuła się rozczarowana, a nawet zaniepokojona, czy ów łebski Łebski rzeczywiście istniał. Być może Antoni go po prostu wymyślił?

Antoni ani pisnął o tym, że ostatni raz widział Łebskiego w ubiegłym tygodniu, gdy brali go do radiowozu po strzelaninie w pensjonacie. Że jej dublerka została zabita, a to przesuwało oryginalną babcię do defensywy. Że będzie musiał ją pochować, to znaczy tę dublerkę, ale jako babcię. I już tylko jego umiejętności były gwarancją życia hrabiny de Szumiejskiej. Antoni, mimo plastyczności swojej wyobraźni, jeszcze nie dostrzegał, że już nawet nie chodziło o życie babci, lecz jego samego. Zupełnie infantylnie trzymał się echa słowa honoru, które kiedyś usłyszał od Antylopy; marna to była polisa, zwłaszcza że wasale tego ostatniego już ostrzyli noże w kuchni, i to nie na kurczaka.

– Że też ja musiałam spotkać tego człowieka – żachnęła się hrabina.

Antylopa był znajomym jej męża Stanisława, którego ten poznał na Wyścigach w Warszawie. Stasiu przyprowadził go kiedyś na partyjkę brydża. Antylopa miał nienaganne maniery, czarujący uśmiech i doskonale znał się na sztuce. Utrzymywał, że jest magistrem ASP i dopiero po czasie wyszło na jaw, że skończył zaledwie jeden rok, ale AWF-u. Czy to wystarczało do prowadzenia biznesu w sztuce? Sądząc po metodach Antylopy, właśnie wychowanie fizyczne, szczególnie na początku, oraz wrodzony spryt, a kuty był na cztery nogi, stawiały go w szeregu pierwszych biznesmenów krakowskich. Założył sklep na ulicy Krakowskiej zajmujący się sprzedażą starych mebli i szpargałów, a źródła pozyskiwania towarów były równie tajemnicze jak siła oddziaływania wawelskiego czy niepołomickiego czakramu. Dość wspomnieć, że w odległych czasach PRL-u ktoś z towarzystwa Szumiejskich widział go czasem przy Pewexie na Karmelickiej, handlującego walutą, ale zgodnie orzeczono wtedy, że to przecież nie mógł być on, tylko ktoś podobny. Hrabina wprawdzie zadała mu wtedy pytanie o tę postać spod Pewexu, wydało jej się nawet, że przez moment Antylopa zmieszał sie, że łączą go z ubeckim klanem, bo wtedy tylko tacy panowie handlowali dolarami, ale szybko zapomniano o tych nieprzyjemnych podejrzeniach. Później tamtego wieczoru nawet poklepywano Antylopę po ramieniu, dodając do tego serdeczne uśmiechy, a prym wiódł jej mąż Stasiu, do którego Antylopa przegrał znaczną sumę pieniędzy. Któż mógł przypuszczać, że był to sprytny wybieg, a przegraną odzyskał z nawiązką, rozłożoną jedynie na raty?

– Babciu, ja też się kiedyś nabrałem na jego maniery i znajomość tematu – przyznał Antoni.

– Żebyś ty sobie jakiej biedy nie napytał tymi fałszerstwami. Co za świat, żeby mój wnuczek marnował w ten sposób talent... – westchnęła starsza pani.

Jadwidze świat wirował przed oczami. Wszystkie dotychczasowe nieszczęścia to było nic w porównaniu z tym, które właśnie waliło się jej na głowę, a którego nawet jeszcze nie próbowała sformułować. Przeczuwała jedynie, dlatego ciągle było jej niedobrze; a zaczynało się na literę R. Martwa plazma nieszczęścia już wysuszyła jej gardło i usztywniła nogi. Pełna najgorszych przeczuć szła ulicą, jakby ciągnąc za sobą ciężar spiżowego pomnika ancien regime'u, wszystkiego, co piękne i z charakterem, dla którego dane słowo jeszcze coś znaczyło i co odeszło razem z babcią

Biorąc pod uwagę jej mdlący, nieprzytomny stan, nie dziwi, że Jadwisia nie spostrzegła, że krok w krok ktoś za nią chodził, sprytnie się maskując. Raz był to człowiek z ulotkami, raz lajkonik (który zamarudził od czerwca, więc od razu wylegitymowała go straż miejska), to znowu krakowska przekupka. To przebranie było ze wszystkich najmniej wygodne, ale tajniak znudzony kamuflażami dostępnymi w służbowej szafie, chwycił się wiklinowego kosza z nadzieją na odmianę rutynowych przebrań. Kosz był nadzwyczaj nieporęczny, z prawdziwymi bajglami, ale przez niego i kolorowe falbany wtapiał się w tłum idealnie. Do tego stopnia, że gdy udali się razem na Jagiellońską i Jadwiga weszła do domu, a on został na ulicy, natychmiast obskoczyła go wycieczka Izraelitów i wykupiła wszystkie obwarzanki. Pozostawanie z pustym koszem na ulicy groziło dekonspiracją. Przytomny policjant udał się na Szewską i podbiegł do straganu z bajglami.

– Przepraszam pana, przepraszam... – próbował wepchnąć się w kolejkę, ale usłyszał wyraźne warknięcie. Zaskoczył go widok mężczyzny w kapturze głęboko nasuniętym na głowę i innego, twarz skądś znana, trzymanego na smyczy. Też kupowali. Policjant wycofał się, odczekał aż tamci wezmą bajgle, a później wręczył uszczęśliwionej przekupce 200 złotych i z całym towarem pobiegł z powrotem pod obserwowane mieszkanie. Modlił się o to, by kolejna wycieczka Izraelitów idąca wyraźnie w kierunku Collegium Maius, nie wyczerpała mu nakładu. Gdy byli blisko, wycofał się w uchyloną bramę.

Łebski, przechodząc Jagiellońską, od razu zauważył detektywa w przebraniu. Dla wytrawnego oka to nic trudnego. Zainteresowany co też tamten mógł obserwować, skrył się we wnęce innej kamienicy i obserwował obserwującego.

W tym właśnie momencie Jadwiga podeszła do okna i zobaczyła przystojnego mężczyznę czekającego na kogoś przed Starym Teatrem. „Ach, jak szczęśliwa jest kobieta, którą mąż zaprasza do teatru. Mój Rozmaryn ani razu nie wziął mnie nigdzie, choć przecież aktor. Wręcz odwrotnie, ciągle mi coś zabiera". Jakaś przekupka zerknęła w stronę okien Jadwigi i ten przystojniak spod teatru też, chyba ją nawet zauważył, więc szybko odsunęła się od firanki.

Łebski usłyszał, jak w fałdach materiału okrywającego sprzedawczynię bajgli zadzwoniła komórka. Przekupka długo szarpała się z guzikami, zanim rozpoczęła rozmowę. „Tak, tak, zrozumiałem" – powtarzał zupełnie męski głos. Tajniak znowu schował się w bramę, po czym wyszedł z niej już bez przebrania, trzymając jedynie w ręce wiklinowy kosz. Szybkim krokiem ruszył na Planty. Łebski, udając, że czyta repertuar – wtedy dopiero zauważył, że stał przed teatrem – przeczekał, aż tamten przejdzie i natychmiast ruszył jego śladem.

Nawała służbowym oplem zostawił wyraźne ślady na trawniku. Skorzystał z miejsca dla ortodoksyjnych antyekologów, bo nie było gdzie zaparkować.

– To samo, co zwykle, sześćdziesiąt róż? – kwiaciarka przywitała stałego gościa.

– O różach proszę nawet nie wspominać – kwiaciarka była zaskoczona. – Biorę dwanaście kalii.

Nawała zapłacił i szeleszcząc papierem z kwiatami, wyszedł na ulicę. Ze słupa z ogłoszeniami spoglądała na niego wielka twarz Adeli Fajfusówny, reklamująca krem przeciwzmarszczkowy. Nawała zmarszczył czoło ze złości, rzucił kwiaty na tylne siedzenie auta i podszedł do reklamy. Chwycił za brzeg plakatu i pociągnął w dół. Został mu w ręce pasek papieru, a na dźwięk niszczonego zdjęcia zza słupa wychyliła się postać człowieka rozwieszającego plakaty.

– Panie, coś pan? Mam zawołać policję?

– To ja jestem policja. Zabraniam wieszać te plakaty w mieście! – oficerska wściekłość wyraźnie wystąpiła mu na twarz. Oczy nabiegły krwią. Machnął zaskoczonemu młodzieńcowi z branży reklamowej policyjną blachą, kopnął wiadro z klejem, przetargał ostentacyjnie dwa plakaty i odmaszerował do opla, łapiąc po drodze kilka głębszych oddechów dla ochłonięcia. Zdawał sobie sprawę ze swego wzburzenia i niepotrzebnego zamieszania, które przyciągnęło już kilku gapiów, a kolejni mieli wyraźną ochotę dołączyć. Ale co się stało, to się nie odstanie. Zapiszczały opony i tyle go widzieli.

W drodze na cmentarz Rakowicki mignęły mu jeszcze cztery Adele, uśmiechnięte, naciągnięte na słup i na kości twarzy – idealne, niepomarszczone, przedmiot marzeń.

Starał się nie patrzeć w ich stronę, ale przychodziło mu to z trudem.

„Mamusia, ty sama wiesz, jak mi ciebie brakuje – położył kalie na marmurowym pomniku z napisem »Maria Nawała 1909–2002«. Zajął się uprzątnięciem monumentu, bo tak jak się spodziewał, wiatr, który szalał wczoraj nad Krakowem, poprzewracał wazony. „Gdybyś tylko mogła ze mną porozmawiać". Zabrzęczała komórka. „Jeśli się szybko nie ożenię, to, jak mówiłaś, nie będzie miał kto mi szklanki wody podać na starość". Po krótkiej przerwie komórka znowu się odezwała. „A ty sama wiesz, jak starość wygląda. Człowiek zajmuje się tylko ciałem". Nawała cały czas ignorował natarczywy dzwonek telefonu. „Czy to nie dziwne, że kiedy człowiek jest młody, to mu tylko ciało w głowie, a na starość też?" – Halo? – wreszcie odebrał. – Co? Podobno jakiś mężczyzna podający się za mnie pobił plakaciarza przy Starym Kleparzu? Ale co wy mi tu opowiadacie! To jakiś nonsens. Co jeszcze? – I tu Nawała zamienił się w posąg kamienny, jakich masa była wkoło. Frasobliwy Jezus spoglądał w stronę policjanta ze wzorkiem „Vanitas vanitatum et omnia vanitas". Ale Nawała, nieczuły na filozoficzne mądrości, w skupieniu wysłuchał tego, co miał mu do przekazania dyżurny oficer i na koniec zapytał o adres.

– Osiedle Słoneczne, Żeromskiego – usłyszał w odpowiedzi.

– No, odpowiedz mi babciu, a czy ty przypadkiem nie dajesz lekcji szachów tym zakapiorom? Pół godziny temu widziałem, jak jeden z nich, któremu słoma wystaje z butów, a tombak spod koszuli, wykonał brawurowy ruch na szachownicy.

Starsza pani jeszcze się wahała.

– Ależ wnusiu, a co ja mam tu robić całymi dniami?

Babcia przy okazji wygadała się, że wydziergała tym „biednym chłopcom z nizin społecznych, których ukształtowała nędza i brak wykształcenia" swetry na drutach, bo zapowiadali zimną zimę.

W tym momencie do pokoju wszedł Antylopa.

– A co ty tu robisz?

– Gram w szachy z babcią, chyba to mi jeszcze wolno?

– Synu, pamiętaj, że jesteś tylko pionkiem i nie wolno ci robić nic, czego ja nie rozkażę. – Antylopa podszedł do szachownicy i jednym ruchem zrzucił figury na dywan. – Nie ma żadnej gry, bierz się do roboty i to od zaraz. *Raus*! Mamy mało czasu! Do jutra rana kopia obrazu ma być gotowa.

– Chodzi o Wyspiańskiego, którego macie w salonie?

Spostrzegawczość Antoniego nie spodobała się Antylopie, więc na dodatek rozdeptał królową obcasem. W kuchni wzięli się znowu za ostrzenie noży.

– A więc tym razem to Wyspiański? – w głosie babci słychać było trwogę. – Boga w sercu nie macie, takie świętości podrabiać!

– Niech się starsza pani nie wtrąca w sprawy młodszego pokolenia. – Antylopa chwycił pod ramię Antoniego i wyprowadził stanowczo z pokoju.

Młody malarz stanął naprzeciwko „Macierzyństwa" i poczuł dreszcz przechodzący po karku. Czysta energia biła z tej pasteli. Niezmącone upływem czasu źródło autentyzmu. Forma i treść. Geniusz w tym wypadku sprowadzony do subtelności ciepłej kreski.

– Potrafisz to zrobić?

Antoni nawet nie spojrzał na Antylopę, był już całkowicie pochłonięty malarstwem. I tylko dziwna myśl przebiegła mu przez głowę, jak łasica przez parking. „Dzięki temu bandycie poznałem z bliska, wręcz dotykając, najważniejsze obrazy w Krakowie. To się nazywa mieć szczęście". Ale daleki był od rzucania się Antylopie w ramiona.

Zbliżył wzrok do Wyspiańskiego. Badał uważnie fakturę materiału i kolor. Poczuł zapach wywiedziony jeszcze stamtąd, z pracowni mistrza Młodej Polski. Dotknął delikatnie postaci, które miał kopiować i zamknął na chwilę oczy, jakby prosił o wybaczenie, a później wziął się ostro do roboty.

Najpierw zrobił zdjęcie obrazu. Musiał je dobrze wykadrować, dla zachowania idealnego odwzorowania. Po kilku próbach udało mu się wreszcie uzyskać odpowiedni efekt. Przeniósł fotografię do komputera, potem przepuścił przez rzutnik i na ścianie pojawiło się blade odbicie „Macierzyństwa". Wtedy Antoś podłożył pod to widmo materiał i rozpoczął szkicowanie odbitych kształtów. Po dwóch godzinach mozolnej pracy wyłączył rzutnik, wypił litr wody, otworzył okno w salonie i spojrzał na efekt. Drugie „Macierzyństwo" miało już szkielet. Przy okazji Antoni zauważył, że na dole, zamiast ruchliwej ulicy nie było nikogo. Dla niego, wyczulonego na kształty i ludzi, widok dość zaskakujący – wymarłe miasto. Ale, zaprzątnięty pracą, zbagatelizował ten fakt, zwłaszcza że powód bezruchu miał się w niedalekiej przyszłości wyjaśnić z korzyścią dla niego samego.

Rozmaryn stanął w bezruchu w uchylonych drzwiach do salonu i spoglądał na pracującego Antoniego. Obraz był już prawie gotowy.

– Chyba już koniec? – zwrócił się do Antylopy. Zniecierpliwienie aktora było zrozumiałe. Pięć ostatnich godzin spędził bezczynnie, w towarzystwie prawdziwych bandytów, nie serialowych. Nic przyjemnego. Szczególne Glutas naprzykrzał mu się pytaniami o serial i nawet pochwalił, że poznał Fajfusównę.

– Niech mu pan da spokojnie pracować.

– Nie mogę dłużej czekać. Kobieta, od której mam obraz, zaczyna się niecierpliwić.

Rzeczywiście, już kilkakrotnie Rozmaryn nękany był telefonami od Jadwigi. Zasłonił się tym, że wypadły mu nocne zdjęcia. Upierała się, że przyjedzie odwiedzić go na planie, co wydawało mu się nieprawdopodobieństwem, nawet gdyby tak rzeczywiście było.

– Co pan robisz? – Antoni zasłonił swoje dzieło całym ciałem – Jeszcze pracuję!

– Niestety, musimy już kończyć. – Antylopa, nie zważając na protesty malarza i jego dziki wzrok, podszedł z kopią „Macierzyństwa" do światła. – Doskonały!

– Powiedziałem, że jeszcze nie skończyłem! – Antoni schudł podczas tych ostatnich godzin o trzy kilo, posklejane od potu włosy opadły mu na czoło, a twarz ubrudzona pigmentem przypominała maskę dzikusa. Nawet Antylopa zawahał się przez moment, czując na sobie ten wzrok, czy aby nie zwrócić obrazu do dalszych poprawek, ale szybko oprzytomniał.

– Nie, młody przyjacielu. Jest już po pracy. Fajrant, możesz pożegnać się z babcią i do domu!

Antoni był wściekły. Czuł, że jego „Macierzyństwo" nie było gotowe, obraz rozjeżdżał mu się w kilku miejscach. I nawet po uzupełnieniu ich, brakowałoby jeszcze najważniejszych pociągnięć, aby wszystkie te linie, nakładane z mozołem, a każda z osobna, na koniec razem zagrały symfonię kształtu i treści. Właściwie to kopia „Macierzyństwa" z tego punktu, dodania ostatnich linii, była w absolutnym proszku, abstrahując od niewątpliwej przyjemności, jakiej pozbawiono Antoniego, odbierając mu w tym momencie obraz, na finiszu. Tak właśnie zawsze było w sztuce, że jeden element namalowany w odpowiednim miejscu, o odpowiednim kształcie i kolorze przez odpowiednią osobę, potrafił zmienić stosunki całości, choćby to było dzieło tak przeciążone detalami, jak „Alegoria misji jezuickich" Andrea Pozzo w kościele San Ignazio w Rzymie, który to niedościgły wzór odbijał się w barokowych freskach kościoła Jezuitów tu, w Krakowie.

Na pierwszy rzut dwa „Macierzyństwa" nie różniły się wcale, co trzeba oddać talentowi Antoniego. Ale i on, i Antylopa widzieli wzór i jego odbicie, a oko zawodowca od razu wychwyciłoby falsyfikat, nie tylko przez to, że podrobione dzieło przez świeżość nałożonego materiału zdradzało pochodzenie. Dopiero pod koniec niesławnej roboty młody malarz zrozumiał, na czym polegał błąd niedokładności odwzorowania. Rzeczywiste nanocentymetry rozbieżności przekładały się na poziomie psychiki autora falsyfikatu na zbytnią uległość wobec oryginału. To właśnie wtedy Antoni pojął, że fałszerz doskonały powinien być barbarzyńcą doskonałym, nie czuć żadnego szacunku wobec przedmiotu kopiowania; a przecież Antoś wykonał podobnych prac dla Antylopy dziesiątki – dlaczego akurat teraz do tego doszedł? Może i dobrze, bo jeśli posiadał już w rękach klucz do przemiany w kopistę doskonałego, miał jeszcze szansę odciąć się od tego i obronić tę płaszczyznę autentyczności, z której wyrastała każda sztuka, w tym jego samego też.

W złości złamał pędzel i rzucił na dywan.

– Przecież pan wie, że oszustwo szybko wyjdzie na jaw. Ten obraz jest niedokończony, nie mogę go tak zostawić!

– Podoba mi się, że dbasz nie tylko o swoją reputację, ale w takich okolicznościach? – uśmiech skrywał ironię. – Poza tym to są czasy reprodukcji, a nie reputacji.

Antylopie nie zależało na ukrywaniu fałszerstwa. Nie miał w tym żadnego interesu. To będzie już sprawa policji i tych z muzeum, a skoro on i oni nie lubili się od dłuższego czasu, dlaczego miał sprawiać im przyjemność?

Z kuchni dochodził coraz głośniejszy dźwięk ostrzenia noży.

Czas naglił.

– Idź się umyć i na ostatnie słowo z panią hrabiną. Następne widzenie za dwa tygodnie.

Antoni wrócił z łazienki uspokojony.

– Chcę z panem porozmawiać o babci.

– Nie teraz, mam interes do ubicia.

W pokoju czekał na niego Rozmaryn, który kończył przeliczanie banknotów. Z otwartej walizki uśmiechało się do aktora dwieście tysięcy.

– I co, zgadza się?

– Tak, tak... – na twarzy Rozmiego malowało się niezdrowe podniecenie, zachłanność i infantylizm. „Z kim ja muszę się spotykać? Z amatorami i ofiarami losu. Gdzie są niegdysiejsze śniegi, i przestępcy? Mieli jakiś wygląd, zimne spojrzenia i klasę. A ten? Niewart nawet paczki z pasztetem do mamra".

Rozmaryn zatrzasnął neseser.

– To ja już polecę, dzięki za wszystko.

W korytarzu zaskrzypiała deska i trzasnęły drzwi. Antylopa podszedł do okna. Rzuciła mu się w oczy ta sama nieruchomość świata zewnętrznego co Antoniemu. „Czyżby...?". Zobaczył Rozmaryna na ulicy podążającego z błogim uśmiechem donikąd i pomyślał: „Zaraz tu przyjdzie znowu". Nie mylił się. Usłyszał dźwięk starego, leniwego dzwonka.

– Przepraszam, musiałem się wracać już z dworu.

– Chyba pola?

– Czego? – Rozmaryn stał zdezorientowany, po czym uśmiechnął się, bo zrozumiał dowcip.

– A tak, tak, wy tu w Krakowie mówicie „pole".
Przecież ja zapomniałem obrazu!

– Nic nie szkodzi, cały czas czeka na pana.

– Nie wiem zupełnie, gdzie ja mam głowę.

– To wszystko przez tę walizkę. Przecież nie codziennie nosi się tylu polskich króli naraz. Proszę
mi to dać. – Antylopa nie bez delikatnego szarp-
nięcia odebrał od Rozmaryna czarny neseser. –
Tam są papier i sznurek. Proszę sobie zapakować
obraz jak pan chce.

– Ach tak, dobrze – Rozmaryn stał zdezorientowany z pustymi rękami pośrodku pokoju i czuł
się jak dzieciak na plaży, który zgubił się rodzi-
com. Popchnięty do działania spojrzeniem Antylopy wziął się za pakowanie i po trzech minutach
gospodarz odprowadził gościa na powrót do wyjścia.

Była przekupka zaprowadziła Łebskiego na
Nową Hutę, na Osiedle Słoneczne. Po zaparkowa-
niu alfy rzuciło mu się w oczy poobijane bmw. „Proszę, proszę, starzy znajomi". Ponieważ doskonale
orientował się w procedurach policyjnych, szybko
ocenił sytuację – obława. Stał skryty w cieniu za-
gajnika. Co chwila na głowę spadały mu brzozowe
liście; czubki butów miał już całe w chlorofilowym
odpadzie. Wyjął z samochodu lornetkę i obserwował plac. Uwaga poukrywanych w krajobrazie poli-

cjantów skierowana była na jedną z klatek kamienicy. Musiało się coś w niej dziać. Ale co?

Łebski przesunął szkła w kierunku okien domu i wydało mu się, że w jednym z nich zauważył cień Rozmaryna Pietrzykowskiego, ale mógł się mylić. Po kilku minutach na miejsce podjechał opel Nawały. „Właśnie tego elementu mi brakowało".

Nawała odebrał raport od oficera, który pokazywał okno już wcześniej zauważone przez Łebskiego. Nagle podbiegł do nich kolejny policjant, padły rozkazy i wszyscy ukryli się za samochodami, drzewami, gdzie się dało.

Na ulicy pojawił się najprawdziwszy aktor serialowy Rozmaryn Pietrzykowski z walizką w ręce. „Ciekawe, co tu robi? A co oni z nim zrobią?". Żadnej akcji jednak nie było, bo aktor odegrał na chodniku scenę „Zapominalski pan z teczką" – uderzył dłonią w głowę, odwrócił się na pięcie i z powrotem wszedł do domu.

Wiatr zaszumiał brzeziną i kolejna porcja liści dopadła Łebskiego, który do połowy łydek był już przysypany żółto-rudo-zielonkawym opadem.

Nowohuckie noce tliły się złym żarem i nijak im było do krakowskich, a przecież geograficznie różnica sprowadza się do ceny jednego biletu „szesnastką" – dwa pięćdziesiąt. Ludności było mniej, blade neony odpowiadały bezużyteczności o tej porze miejsc, nad którymi świeciły, bo większość była zakratowana, pozamykana. Wyostrzony węch Łebskiego wychwytywał zapachy niecnych wypróżnień po ciemnych bramach, tanich papierosów i salcesonu. Echa pijackiego charchotu pobrzmiewały w szerokich alejach, których niczym nieusprawiedliwiona wystawność odpowiadała za dziwne uczucie ogarniające człowieka w tym otoczeniu. A może wcale nie dziwne, ale wreszcie rzeczywiste? Tutaj, wobec kamienia na kamieniu i jeszcze raz kamienia, plecy same lekko się garbiły, a układ immunologiczny napinał, wietrząc niebezpieczeństwo. Daleko było do krakowskiego, turystycznego spokoju, gdzie ludzie nocą omijali się z bliska nieśpiesznym krokiem i piórko im z kapelusza nie spadło. Tu, na Hucie, szelest dresowego materiału kształtował skalę rozwarstwienia społecznego, a puste place i ulice przypominały Łebskiemu warszawski Mokotów, a przynajmniej te jego części, do których nawet śmieciarki zaglądają niechętnie, a jeśli już, to tylko w poniedziałek, świtem, w porze z gruntu niewinnej. Sam plac Centralny wyrżnięty był z tego samego piaskowca co stołeczny MDM. Architektura identyczna, tożsama z dawną epoką, monumentalna, fasadowa, obsadzona elementem napływowym. I tu, i tam człowiek czuł się pozbawiony korzeni, historia jakby dopiero raczkowała, i co gorsza, w stronę ciemnych czeluści martwych podwórzy, bo nie miała gdzie. I tu, i tam, w bramach krzyczały wyzwiska i nazwy klubów sportowych, a we wrakach samochodów ogołoconych z łatwo wykręcalnych części hulał wiatr i nawoływały się koty.

Łebski wrócił do lornetkowania okolicy. Wszyscy czekali co będzie dalej.

„Co dalej?" – reżyser Dyjma poczuł, że zrobiło się zimno i szczelniej okrył się płaszczem. Stał w bramie na Szewskiej. Zdjął z szyi obrożę. Znalazła się w koszu na śmieci. Podszedł do kiosku z gazetami.

– Proszę „Głos Niedzielny" – zawahał się na moment – i „Super Express".

Wziął brukowiec z lekkim obrzydzeniem, ale i zainteresowaniem. Ruszył na Rynek, przeglądając wstępniak z „Głosu".

Była zaawansowana jesień. Planty już prawie całe zrzuciły liście. Ciężarówki z lekkim, kolorowym bagażem podskakiwały na krawężnikach, uwożąc ciężar lata nie wiadomo dokąd. Nad miastem nadal krążyły gołębie, ale co to były za ptaszki? Zamiast przyjemnych, zaokrąglonych trajektorii i miłego dla ucha gruchania, gołębie agresywnie podrywały się do lotu, nerwowo cięły powietrze i rozpychając się między turystami, lądowały na kamiennych płytach z wcale nie nieśmiałym „kra, kra". Tak właśnie – skruczały na jesień. Trzymajmy ich stronę, bo co to za przyjemność, cały czas na powietrzu?, a właściwie – na polu?

Dyjma czuł się dziwnie. Pozostawiony sam sobie, wolny, odczuł zaskakującą lekkość bytu. Nie musiał już obciążać pustych godzin treściami lecącymi z radia. Artykuł w „Głosie" był interesujący, ale nie porywający, a hasła moherowej rewolucji zbladły w jesiennym chłodzie. Pod wpływem kolorowego tłumu przewalającego się przed oczami, poczuł się znowu bardziej liberalno-demokratyczny. Coś się jednak stało, jakiś robak wszedł mu w duszę. Czuł to „coś" wyraźnie.

– Proszę pana, czy wszystko w porządku? – przypadkowa kobieta w średnim wieku podeszła do niego i przypatrywała się uważnie. – Pan ma krew wokół ust.

– Ja? Naprawdę? – Dyjma odruchowo sięgnął ręką w górę i przejechał po twarzy. Wymacał wielodniowy zarost i wilgoć na brodzie. Ręka była czerwona od krwi.

– Kra, kra – zakrakał gołąb przelatujący obok.

– Dziękuję, wszystko w porządku... – Dyjma oddalił się szybkim krokiem. Kobieta wzruszyła ramionami i poszła swoją drogą.

W mieszkaniu na Kazimierzu po raz pierwszy od wielu dni mógł spojrzeć w lustro. Zmienił się. Twarz wychudła i wydłużyła się. Wystające kości policzkowe rzucały cień na pomarszczoną skórę wokół ust, a włosy zszarzały. Patrzył na skrzepy krwi na zaroście. „Co tam się stało? Co tam się stało?". Odkręcił nerwowo kran. Woda chlusnęła na podłogę. Mył się, głośno prychając, aż resztki krwi nie przestały zabarwiać wody czerwonawymi smugami, znikającymi w odpływie. Wyprostował się. Z lustra patrzyła na niego zmęczona, stara twarz obcego mężczyzny.

„Co tam się stało?". Jak przez mgłę pamiętał rozbitą żarówkę, szczęk otwieranej kłódki i szamotaninę w ciemnościach. Przez rozerwany sweter czuł zimną podłogę piwnicy i oddech tamtego blisko twarzy. A potem nastała jeszcze większa ciemność i – nic. Pustka, cisza, echo miasta dochodzące z wylotu odległego tunelu.

Namacał ręką wypukłość w kieszeni kurtki. Wyjął z niej czarną kominiarkę. Pachniała wilgocią piwnicy. Wrzucił ją do klozetu i spuścił wodę. Po chwili kałuża z zatkanej rury wypełniła łazienkę. Włożył rękę w białą muszlę i wyciągnął z niej mokrą wełnę. Wycisnął czapkę nad umywalką, poszedł do kuchni, zawinął ją w folię, włożył do zamrażalnika i zatrzasnął.

Trzasnęły drzwi klatki schodowej. Rozmaryn znów był na ulicy. Tym razem oprócz czarnego neseseru, w drugiej ręce niósł prostokątny pakunek. Łebski przeniósł szkła lornetki na samochód Nawały. Widział, jak wydaje rozkaz i do aktora podeszło dwóch panów. Zatrzymali go, ale nie chciał iść z nimi. Szarpanina nie trwała długo. Policjant skuł mu ręce kajdankami i Rozmaryn już bez oporu dał się poprowadzić do radiowozu. „Ciekawe, co miał w walizce i w tym pakunku? Dlaczego łaził z nim cały dzień?" – Łebski dałby wiele, żeby się tego dowiedzieć.

Okazja nadarzyła się zaraz. Zauważył, że policjanci, którzy zaaresztowali aktora, zamknęli radiowóz i wrócili do obserwacji domu. Braki kadrowe i niedoinwestowanie policji miały charakter strukturalny, wiedział o tym doskonale, i czasem działały na korzyść nawet stróżów prawa, choćby zwaśnionych, jak w tym wypadku. Łebski zanurzył się w miękki, listny tort pod stopami. Przy zegarku miał niewielki kompas, który pozwalał mu poruszać się na azymut. Skryty całkowicie pod suchym, drzewnym odpadem pokonywał drogę jak kret, tuż przy ziemi – tajemniczy garb, niezauważony przez nikogo. Wreszcie wychylił się z liści, a niebieski polonez był na wyciągnięcie ręki.

Akcja zaczęła się właśnie w tym momencie.

Klatkę zablokowało komando złożone z czarno ubranych panów z noktowizorami. Reflektory ukryte w parku skierowały się na okna oblężonego mieszkania, a na dachu błysnęły zamki odbezpieczanych karabinów. Nawała stał na szeroko rozstawionych nogach i z megafonem w ręce ryknął:

– Poddajcie się! Jesteście otoczeni!".

Ivo, korzystając z zamieszania, otrzepał się z liści, podbiegł do radiowozu i sobie tylko znanym sposobem otworzył drzwi, zajmując miejsce obok Rozmaryna.

– No nie, to jest lepsze niż w serialu! – usłyszał jego westchnienie.

Łebski spojrzał na Rozmiego. Biedny amant wyglądał żałośnie, w smętnym pociąganiu nosem słychać było nadciągający koniec kariery. „Z kajdankami na rękach nie ma się jak wysmarkać, i za bardzo kogo grać" – pomyślał Łebski.

Przez szybę poloneza, jak w telewizorze, wydarzenia nabierały tempa. Już panowie z noktowizorami byli w środku budynku, psy szczekały groźnie, a w mieszkaniu na górze zgasło światło. Po chwili czyjaś ręka z rewolwerem wybiła tam szybę, której odłamki spadły z hałasem na chodnik. Jakiś pies zaskomlał. Ktoś zaklął szpetnie.

Wszystko wskazywało na to, że sytuacja staje się poważna. Na nic więc były standardowe odzywki Nawały, pochodzące z policyjnej instrukcji dotyczącej okrzyków.

– Wychodzić z poniesionymi rękami! Nic wam się nie stanie!

Gołym okiem widać było trudne położenie oblężonych, rozmach policyjnej akcji, wagę sprzętu i argumentów. I dalej, miasteczko rekreacyjne dla znużonych oblężeniem mundurowych oraz karetkę pogotowia, w drzwiach której dwóch sanitariuszy najspokojniej przeglądało „CKM". Ale to było poza zasięgiem kul.

Łebski w tym czasie sięgnął do prostokątnej paczki, teraz już własności Skarbu Państwa, a nie Rozmaryna; włęc na nic się zdały jego blade protesty. Zdarł papier i cmoknął.

– To zdaje się Malczewski? – posłużył się jedynym nazwiskiem malarza, które kojarzył.

– Nie Malczewski, a Wyspiański – skuty z kratą Rozmaryn poruszył się ze złością. Widok obrazu spowodował, że zobaczył w całości obraz sytuacji, w jakiej się znalazł. – Zresztą, nie twoja sprawa!

– Może moja, a może nie. Widzę, że bawisz się i w policjantów, i złodziei. Ale naraz się nie da. Skąd go masz?

– Mięso ci do tego! – Ivo nie spodziewał się innej odpowiedzi, a milczenie, które zapadło na kilka chwil we wnętrzu poloneza, przerwała nagła eksplozja. Zwrócili w jej stronę zaciekawione spojrzenia.

W tym czasie Nawała schowany za murem z policyjnych tarcz zdobywał teren. Posuwał się w stronę budynku od frontu. Niestety, wybuch wyraźnie pomieszał mu szyki. Młody, policyjny narybek użyty pierwszy raz w poważnej akcji, po wybuchu rozproszył się bezładnie, a Nawała z gołym megafonem w ręce znalazł się na linii strzału.

– Jasna cholera, ale jatka! Kryć się pod daszkami czapek! – zaryczał, przewidując znaczne komplikacje. Sam uskoczył w bok, bo pierwsza wroga kula już wyleciała z okna na piętrze, na szczęście nie czyniąc nikomu szkody.

– Szkoda, że już się kończy nasza nowohucka przygoda – westchnął Antylopa. Pomimo nawału spraw, siedział spokojnie w fotelu i nabijał fajkę.

– Szefie, mięso, co robimy? – Glutas wyraźnie nie wytrzymywał napięcia. – Mamy ciąć czy nie?

– Na razie zostawić noże w spokoju, a tamtych zamknąć na klucz, żeby się po placu boju nie kręcili. Gotowi wykręcić jeszcze jakiś numer.

Po chwili Glutas wrócił, meldując wykonanie rozkazu oraz wyniki obserwacji za oknem:

– Nie pamiętam, kiedy ostatnio widziałem tylu gliniarzy.

– Dopóki będziesz się zastanawiał, ilu ich jest, jesteś przegrany.

– Nie wiem, o co szefowi chodzi – oprych wpadł w zakłopotanie.

– Pomyśl sobie – tam na dole jest tylko jeden. Słownie jeden policjant. Ten, który kieruje akcją. Prawdopodobnie jest to nadkomisarz Nawała, dobrze nam znany. Wydam ci teraz polecenie, a ty

wykonasz je skrupulatnie, od a do z. – Glutas po-
kiwał głową. – Wychylisz się przez okno, odnajdziesz na dole otyłą postać z megafonem w ręce,
jasny płaszcz i beret z anteną, przekrzywiony lekko na bok. To będzie Nawała. Oddasz w jego kierunku strzał. Postaraj się, żeby był celny.

„A więc tak brzmi wystrzał z prawdziwego pistoletu?" – zastanawiał się Antoś, gdy rozkaz Antylopy
został wykonany, choć dla kronikarskiej dokładno-
ści trzeba wspomnieć, że nie w pełni, gdyż Glutas
spudłował. „Czy można namalować dźwięk? Muszę
się tym zająć na najbliższych zajęciach w szkole".

– Co będzie z nami? Ja mam egzamin. – Antoni
upomniał się o swoje prawa, gdy Antylopa wszedł
do ich pokoju. Ostatecznie dziekan nie będzie go
pytał, co robił wieczorem, tylko dlaczego go nie
było na uczelni.

– Panie Antylopa – dorzuciła hrabina, – zdaje
się, że ma pan kłopoty?

– Proszę się nie martwić. Mam sposoby na
szybkie załatwianie spraw. – I zapałkę, którą przy-
palał fajkę, przytknął do lontu kolejnej kostki tro-
tylu. – Glutas, pochwal się panom na dole, co my
tutaj mamy.

Huknęło jak jasny gwint.

Po następnym wybuchu Łebski musiał opuścić
towarzystwo złorzeczącego mu Rozmaryna, nie

sprawdzając, co było w czarnym neseserze, znajdującym się na przednim fotelu poloneza. Agenci komendy miejskiej nadbiegali od strony placu boju, a jeden z nich podjął nawet pościg za tajemniczym gościem, właśnie trzaskającym drzwiami ich służbowego pojazdu.

– Stój, bo strzelam! – ale Łebski tą samą drogą, którą przybył, skutecznie się oddalił. Liści było już tyle, że nawet płynąc po nich miarowym kraulem, nie dotykał dna, a tak było szybciej.

– Kto to był? – szybkie przesłuchanie Rozmaryna doprowadziło do tego, że po chwili Nawała odebrał meldunek. „Ten poszukiwany warszawiak, Ivo Łebski, gdzieś tu się kręci i nawet próbował uwolnić właśnie zaaresztowanego aktora".

Nawała był zły. W akcji nastąpił impas. Miał wrócić do komendy na tarczy? Ci, tam na górze, byli uzbrojeni po zęby, może nawet w wyrzutnie rakiet? Może, może..., ale na razie prowadzili wojnę psychologiczną. Wyglądało też na to, że znają policyjne procedury. „Kto wie, może Łebski pomaga im z dołu? – zastanawiał się Nawała – a skoro tak pomyślałem, to z pewnością tak jest, posadzę go na długie lata". W oknie, przez które mogli zdziałać cokolwiek snajperzy, pojawił się właśnie obraz Wyspiańskiego. I to nie był cud. Towarzyszący akcji konserwator zabytków kręcił głową już na wybitą, oryginalną szybę z lat sześćdziesiątych.

Zacisnął zęby na wybuch w podwórzu, niszczący podmuchem tynk okolicznych kamienic. Ale na widok oryginału „Macierzyństwa" w oknie ostro zaprotestował i Nawała musiał wstrzymać snajperów.

– Co za, mięso, ustawa! – wyrwało się komisarzowi. Konserwator udał, że nie słyszy.

– Proszę pana, to jest zabytek najwyższej klasy. Ja zabraniam!

Nawała musiał tolerować obecność urzędnika z artystycznymi ambicjami, a nawet uśmiechać się do niego. Rada Miejska Krakowa przegłosowała uchwałę, może i korzystną dla turystyki, ale mocno ograniczającą działania policji. Zabraniała ona niszczenia zabytków podczas akcji: wyważania drzwi, biegania po zabytkowych dachach z ciężkim sprzętem, przebijania się przez ściany, armatek wodnych w pobliżu fresków. Nie mówiąc już o bezpośrednim niszczeniu dzieł sztuki, jak przestrzelenie obrazu. Każdej poważniejszej akcji przypatrywał się delegowany konserwator. To właśnie wykorzystał Antylopa, który bez żadnych skrupułów wystawił Wyspiańskiego w okno jak tarczę i pykał spokojnie fajeczkę.

Na dodatek obecność Łebskiego w pobliżu irytowała Nawałę do tego stopnia, że porwał megafon i zaryczał:

– Osoby niepowołane proszone są o opuszcze-
nie placu, łącznie z tobą, Łebski! – A na ucho, do
policjanta: „Jak się da, to go załatwcie na miejscu".

– A więc jest tu Łebski! – Antoni ścisnął moc-
niej rękę hrabiny – Babciu, on nas uratuje!

– Kto to jest? – szeptali, siedząc blisko siebie.

– To ten policjant, który u nas mieszka. Słysza-
łem przed chwilą, jak na dole wymówili jego nazwisko.

Nadzieja zajaśniała dla uwięzionych, odwrotnie proporcjonalnie do atmosfery w salonie. W ruchach Glutasa i jego kolegi, rozpaczającego głośno
po stracie bmw, które oberwało od wybuchu, wy-
czuwało się nerwowość. Tylko Antylopa siedział
niewzruszony w fotelu. Z dołu dotarł powtórzony
przez megafon komunikat: „Wychodźcie z rękami
podniesionymi do góry, a nic wam się nie stanie!".

– Nie wiem jak potoczy się dalej całe to zamieszanie – Antylopa wreszcie wstał z miejsca i podszedł do Szumiejskich, żeby się pożegnać – ale miło
było spędzić z panią hrabiną ostatnie dwa lata.

– Niech mi pan tu nie mydli oczu. Gdyby mój
Stasiu żył, na pewno spotkalibyście się na ubitej
ziemi. Tak traktować kobietę!

– Pani narzeka na traktowanie? Widzi pani,
sam sobie wielu rzeczy muszę odmawiać z podwo-
dów zewnętrznych – tu wskazał na okno. – Co za

niewdzięczność! Poza tym, gdzie ja mógłbym znaleźć tak doskonałego kopistę jak Antek. Niewinny student, poza podejrzeniami i ten talent. Wielki talent! – Antoś spojrzał na swego prześladowcę z nienawiścią. – Przed tobą przyszłość, chłopcze. Ale zależy, co wybierzesz. Sztukę czy biznes.

– Szefie, jakiś ruch na klatce, sprawdzić? – Glutas wparował do pokoju bez pukania.

Antylopa skinął głową i ruszył w kierunku korytarza. Po chwili przekonali się, że na schodach w kamienicy zaczął gromadzić się tłumek obywateli z podniesionymi głosami i rękami. Część nie wiedziała, o co chodzi, ale na wszelki wypadek opuściła mieszkania.

Z początku banda też nie mogła zrozumieć powodów tego obywatelskiego pospolitego ruszenia, dopiero szef wytłumaczył im, że widocznie w tym budynku większość miała coś na sumieniu.

– Słyszała pani? – tak rozmawiano na klatce – „Wychodźcie wszyscy z podniesionymi rękami!" Tak powiedzieli tam, na dole.

– A może to ćwiczenia obrony cywilnej?

– Skoro mówili przez megafon, żeby wyłazić, to trzeba wyłazić. Milicja ma zawsze rację!

– Dziadku, nie ma już milicji, a policja.

– A może to odszczurzanie? Pamiętam taką akcję w sześćdziesiątym trzecim, chyba... – słyszało się te i podobne głosy, świadczące też o niezwykłej karności dawnej generacji obywateli Nowej Huty.

Kłopoty z kompasem Łebskiego świadczyły o tym, że nawet w nowohuckich liściach było sporo żelaza, i tylko dzięki policyjnym genom udało mu się trafić z powrotem na swój ślad i w cień drzew. Palił teraz oparty o przystanek i co jakiś czas spoglądał przez lornetkę na to, co działo się na przedpolu. Policja pozbierała szyk i przesuwała się do przodu zwartą linią tarcz. Lufy wycelowane mieli na pierwsze piętro, ale Wyspiański w oknie nie pozwalał na ostrzał. Polonez z aresztantem jak stał, tak stał. Obok kręcił się wywiadowca i Ivo wolał się tam nie zbliżać, choć ciemne interesy Rozmaryna Pietrzykowskiego mocno go zainteresowały. „Od początku wydawał się podejrzany. W serialu niby dobry glina, a z oczu patrzył mu przekręt". Nie wykluczał, że to on stoi za anonimami. „Być może zabił hrabinę Szumiejską, bo że ukradł Malczewskiego, w to nie wątpię. Zakradł się do mieszkania na Jagiellońskiej i tam też załatwił kolejną staruszkę".

Łebski starał się trzeźwo myśleć o Rozmarynie, choć spora część niechęci do niego wynikała z tego, że był kiedyś narzeczonym Adeli i coś musieli wieczorami robić. „A może oboje rozkręcili nielegalny interes? Dzieła sztuki, obrazy, stare książki... Albo ona sama została w to wciągnięta, nie zdając sobie z niczego sprawy?" Ivo chętnie przycisnąłby Rozmaryna do ściany. Coś z niego na pewno by wydobył.

Wykręcił numer Adeli.

– Adela, powiedz mi prawdę.

– Dobrze.

– No to słucham.

– Teraz?

– Tak, koniecznie.

– Kocham cię.

– Ale nie to. Powiedz mi inną prawdę.

– To nie jest dla ciebie najważniejsze?

– Jest, jest. To też. Ale... – nie dokończył, bo wzburzona Fajfusówna rozłączyła się bez pożegnania.

– Właściwie przyszedłem się pożegnać – Antylopa stanął na środku pokoju. – Musimy się rozstać. I naprawdę żałuję, że przerywamy tę obiecującą znajomość. – Ale zanim ucałuję pani dłoń, madame, poproszę wnuczka, żeby podszedł do okna i wyjął stamtąd obraz. Sama pani rozumie, że w tej sytuacji nie mogę ryzykować życia moich ludzi.

– Ależ nie zgadzam się! To jest niebezpieczne!

– No, młody, bierz się do roboty! – Antylopa wyjął z kieszeni rewolwer i lufę skierował na Antoniego. – Szybko! Póki co, mam tu jeszcze coś do powiedzenia!

Antoś podniósł się niechętnie.

W dole, na podwórzu trwało nerwowe poruszenie, szurały policyjne buty o asfalt, żywa tarcza zbliżała się do kamienicy. Na klatce schodowej wzbierające głosy świadczyły o stanie niezwykłej mobilizacji również na tym poziomie.

– Co jest, szybciej! – Antylopa musiał go popchnąć lufą, bo chłopak nigdy nie wykazywał żadnej ochoty do spełniania jakichkolwiek rozkazów, a tym bardziej teraz. Antoni znalazł się na widoku policjantów. Reflektor ustawiony na dachu po przeciwnej stronie, oświetlił jego postać.

– Nie strzelać! To młody Szumiejski! – powiedział Nawała do radiostacji i Antoni mógł bezpiecznie wycofać się do salonu.

– Dobra robota – Antylopa odebrał zabytek. – Zmieniłem zdanie, oboje pójdziecie ze mną.

Wyszli z mieszkania, mieszając się z tłumem na klatce.

Kto mógł przewidzieć, że zrobiła się z tego ewakuacja na większą skalę? Co bardziej przezorni zabrali ze sobą kosztowności, pościel, ciepłe ubrania, jedzenie i termosy. Tłum poruszał się powoli schodami w dół, jakieś dziecko płakało w wózku, a wielkie toboły zrobione z koców z trudem mieściły się na półpiętrach.

– Tak jak w trzydziestym dziewiątym i czterdziestym piątym, na co nam przyszło? – hrabina

Szumiejska miała podobne wspomnienia z oku-
pacji, jak przypadkowy kombatant, ale nie pod-
jęła rozmowy. Apokaliptycznego wymiaru doda-
wały akcji białe flagi wywieszone na balkonach,
które powiewały na październikowym, nocnym
wietrze.

– Panie komisarzu, wychodzą! – Asystent Nawały z zadowoloną miną oderwał lornetkę od oczu.
– Ale skąd tylu ich tam się wzięło?

„Widocznie nocne spacery po Nowej Hucie mają
wzięcie" – Ivo Łebski z zaciekawioną miną obserwował postępy policyjnej akcji. Przy drzwiach kamienicy zaczęły pojawiać się kolejne osoby z dobyt-
kiem, biało-czerwonymi opaskami na rękawach,
nucące patriotyczne pieśni, a wiekowy obywatel
posunął się nawet do okrzyku:

– *Nicht schiessen*! Nie strzelać! Tu są kobiety
i dzieci!

Łebski zrozumiał błąd przeciwnika. Nawała nie
przewidział rozmiaru kapitulacji. Za dozorcą domu
szła jego żona z rękami w górze, dwie córki, zięć
i wnuczek. Wszyscy byli spakowani jak do dalekiej
podróży. Ivo zaśmiał się mimowolnie. „O, teraz to
będzie bigos!".

Nawała z wściekłością porwał megafon:

– Ludzie, wracajcie spać! Czy wyście powario-
wali?!

– Ależ panie komisarzu, tym bardziej przewiduję znaczne kompli.... – asystent nie dokończył, spiorunowany wzrokiem Nawały. A przecież trafnie przewidział konsekwencje kolejnego apelu zwierzchnika.

Tłum na ulicy był już całkiem spory, a ludzi nadal przybywało. Ci, którzy schodzili z góry, masa ciał i materii, napierali na sąsiadów, którzy już się poddali. Ci z dołu, z ulgą przyjęli odwołanie ćwiczeń i machając na pożegnanie flagami, odwrócili się, kierując na powrót do mieszkań.

I to był początek piramidalnego zamieszania. Pierwsza fala powracających uchodźców zderzyła się z dopiero nadchodzącą, drugą, a ta, czując napór, natarła kolumną, z góry, więc z większą siłą. „Kto kogo ma przepuszczać? Co tam się dzieje na dole? To my mamy wracać?" – chaos informacyjny nie sprzyjał zachowaniu dyscypliny. Doszło do przepychanek, poszturchiwania, zamieszania i ogólnego harmidru.

– Panie nadkomisarzu, co teraz – zapytał asystent. – Wszyscy są w rozsypce.

Zmrużone ze wściekłości oczy Nawały informowały go, że żadnej podwyżki nie dostanie.

Ivo nie marnował czasu. Znowu rzucił się w liście. Szybko przeciął plac, wychylił się zza samochodów, podczołgał pod ławkę i stamtąd już dwoma susami wmieszał się w tłum. Przeciskał się pomiędzy kręcącymi się bez ładu ludźmi. Zobaczył Antoniego, podtrzymującego jakąś starszą kobietę. Znalazł się obok nich.

– Panie Antoni, co tu się dzieje?

– Wiedziałem, że mogę na pana liczyć. – Antoś był wyraźnie uradowany widokiem Łebskiego. Miał nawet ochotę mocno go uściskać.

– Nie czas na czułości, mój drogi. Kim jest ta dama? – Łebski zauważył dystyngowaną starszą panią i mimowolnie dygnął.

– Moja babcia, hrabina de Szumiejska – hrabina wyciągnęła rękę w kierunku Łebskiego, który podnosząc głowę znad usłużnego całusa, oprzytomniał:

– Ależ... ja... jak to możliwe? Pani przecież nie żyje! Widziałem ciało!

– Tak, nie żyję – starsza pani przytaknęła. – Ale właściwie to żyję, tylko mam dublerkę.

– Babciu, ten pan nic nie wie.

– Co tu się właściwie dzieje? – Łebski był zaskoczony jak wszyscy policjanci w obliczu zjawisk nadprzyrodzonych. – Przecież ja mam zarzut, że panią zabiłem! Dlatego mnie szukają.

Policyjny szperacz zatrzymał się właśnie na ich sylwetkach. Łebski mimowolnie podniósł kołnierz płaszcza. – A niech, to! Jeśli mnie namierzą, w niczym wam nie pomogę. Powtarzam pytanie, co tu się dzieje?

W tym momencie twarz Antoniego stężała. Hrabina, spoglądając przez pince-nez w tym samym kierunku co wnuczek, za plecy Łebskiego, też wzdrygnęła się gwałtownie.

Łebski wyczuł coś za plecami.

– Gdzie jest Wyspiański? – konserwator zabytków szturchnął Nawałę w plecy po raz kolejny i nie uzyskał odpowiedzi.

– A skąd ja mam, mię... na miłość boską wiedzieć?

– Chyba ma pan ludzi i sprzęt, żeby się tym zająć?

Nawała ugryzł się w wargi i zacisnął pięść na reflektorze.

– Przecież nie mogę narażać życia tych, tam, niewinnych obywateli dla jakiegoś obrazu!

Właściwie należało pięścią udowodnić konserwatorowi miejsce w szeregu, ale Nawała poprzestał jedynie na niby-przypadkowym oślepieniu go szperaczem. Konserwator z głośnym krzykiem został wyłączony na godzinę ze świata widzących, a przecież wzrok to rzecz niezbędna ludziom zajmującym się nie tylko sztuką.

Nawała z powrotem skierował reflektor na pierwszy rząd stojących. Światło na wyraźne polecenie wpełzło dalej, w środek tłumu. Tak jak się spodziewał, zauważył ich obu. Najpierw Łebskiego. Rozmawiał z młodym Szumiejskim. Obok stała jakaś staruszka. Później światło wyłowiło z tłumu Antylopę. „Świetnie, mam szansę zgarnąć ich obu! Byleby tylko nie przerwali kordonu".

– Aresztujcie ich! – wydał rozkaz i uśmiechnął się na samą myśl, że dzisiejszego wieczora zakończy dwie sprawy jednocześnie. – Albo nie, na razie wstrzymać się!

Nawała zawahał się nie bez przyczyny, bo chciał chytrze dopuścić do rozgrywki między Antylopą, a Łebskim. Jednego z nich miałby wtedy z głowy. Sprawiedliwość zatriumfowałaby wprawdzie przez pośrednika, ale bez prowizji i to szybciej niż drogą sądową i adwokacką. Zgasił reflektor i kazał asystentowi skoczyć po colę.

Kilka minut wstecz Antylopa zgasił światło w przedpokoju, zamknął drzwi od mieszkania i rozdzielił swoich ludzi na dwie grupy. Jedna z nich, przedostając się na dach, miała za zadanie wynieść z kotła obraz i trzeba przyznać, że jak na razie z zadania wywiązywała się bardzo dobrze. Grupę tę tworzył Glutas z kompanem. Antylopa obiecał nawet nagrodę za wyniesienie Wyspiańskiego – nowe bmw. To dodało chłopcom animuszu. W paczce był jeszcze ktoś. Malczewski z salonu willi na Cichej. Zastaw za życie babci.

Chłopcy Antylopy wychowani od małego na Hucie, wykorzystywali znajomość terenu i sprawność wyniesioną z siłowni. Wyspiański z Malczewskim przechodzili z ręki do ręki, jak oni z dachu na dach. Byli już nawet spory kawałek od policyjnej obławy, którą opuścili niezauważeni, gdy wydarzyła się niespodziewana przygoda. Kalectwem lub śmiercią kończą się zawsze podobne przygody na dachach, ostrzegają rodzice swe dzieci, a pora wieczornych kąpieli niesie ze sobą inne pokusy. I tak też się stało w tym przypadku.

Wystarczyło, że Glutas spojrzał w dół, w stronę okien. W każdym z nich, jak w serialu, toczyło się osobne, banalne życie. Ale w tym, które zwróciło uwagę opryszka, dostrzegł wielkie kąpiące się, czyli coś wyjątkowego. Hetera Adela i jej dwie przyjaciółki pluskały się wesoło w wannie; akurat nie było klientów. To wystarczyło. Glutas krzyknął:

– E, spójrz! Ale mięsa! – jego kompan rzeczywiście spojrzał. Niestety, nie ostrzegł Glutasa, że już podał mu paczkę z obrazami.

– O mięso! – obwiązani sznurkiem pakowym w szarym papierze Wyspiański z Malczewskim, tak samo jak trzymali się blisko siebie do tej pory i jak nieopodal leżą w krypcie kościoła na Skałce, tak samo złączeni poszybowali w dół. Na dodatek Glutas, próbując w ostatniej chwili złapać paczkę, stracił równowagę i nim się spostrzegł już dyndał pod krawędzią dachu, przytrzymywany za rękę przez kolegę.

– Utrzymasz? – zapytał, próbując bezskutecznie podciągnąć się w górę.

– Wytrzymaj, babciu – powiedział wnuczek.

Drugą grupę uciekinierów stanowił Antoś, hrabina de Szumiejska i Antylopa. Ten ostatni postanowił opuścić dom najprostszą drogą – głównymi drzwiami. Nikt na przepełnionej klatce schodowej nie przypuszczał, że ten tajemniczy mężczyzna z gazetą, w której trzymał rewolwer i para – babcia z wnuczkiem, są powodem zamieszania w całym domu.

– Tylko bez sztuczek, bo będę strzelał – uprzedził Antylopa. – Schodzimy!

Tłum był zajęty sobą. Już na dole, pomiędzy ludźmi uchodzili za zwyczajnych obywateli i Antylopa dopiąłby swego, gdyby nie niespodziewany apel przez policyjny megafon, aby wracać. Ludzie potraktowali go z wyraźną ulgą i ruszyli z powrotem.

Nie było to zamiarem Antoniego, ale w zamieszaniu, które nastąpiło potem, zgubili prześladowcę i zyskali obrońcę. Ale Antylopa nie na długo stracił ich z oczu. Teraz energicznie pokonywał odległość dzielącą go od Antoniego i hrabiny. Pozbył się gazety i rewolwer błyszczał w dłoni. Nagle obok Szumiejskich zauważył szerokiego w barach, wysokiego mężczyznę. Stał tyłem do niego i cmokał hrabinę w rękę.

Odbezpieczył broń, przycisnął ją do biodra i próbował wymierzyć w jego stronę, ale jakiś dzieciak w tłumie przebiegł przez linię strzału. Musiał podejść bliżej, jeśli chciał go dostać żywego lub martwego.

Adela Fajfusówna po telefonie od Łebskiego, dotknięta do żywego, wcisnęła twarz we łzach w poduszkę. „A więc i jemu chodzi tylko o ciało, a nie o prawdziwe uczucie?" – zaryczała jak gronostaj i schowała jeszcze głębiej głowę w posłanie. Szlochała kilka minut, po czym wzięła się w garść. Z trwogą zauważyła, że rozmazała się i pobrudziła ulubioną bluzkę na łóżku. Postanowiła więc zrobić pranie, zwłaszcza że w całej przyczepie znowu nagromadziło się sporo brudnej garderoby i bielizny. Pranie uspokajało ją. W zapachu parującego proszku do prania odnajdywała dom rodzinny, jej matka bowiem była praczką. Po uporaniu się z pierwszą partią ciuchów wychyliła się z przyczepy z miską pełną mydlin. Chlusnęła w krzaki gorącą wodą, która parowała w październikowym powietrzu. Drzwi domku na kołach zamknęły się z powrotem. Minęła chwila. W krzakach obok coś się poruszyło. Wyszedł z nich reżyser Dyjma, a szczypiące mydliny spływały mu z czoła, gryząc nieprzyjemnie w oczy. Kiedy się otarł, znalazł się naprzeciwko rozwieszającej pranie Adeli.

– Kim pan jest?! – przestraszyła się, zasłaniając plastikową miednicą.

– Ależ Adelo, to ja, twój reżyser.

– Proszę natychmiast stąd odejść! Nie znam pana! Jak się pan tu znalazł? Bo wezwę ochronę!

Łebski znalazł się w nieciekawym położeniu. Kula świsnęła mu obok ucha. Nie chciał używać broni, bo mógłby postrzelić kogoś przypadkowego, a Antylopa już przymierzał się do drugiego strzału. Na szczęście Ivo złapał leżącą na jakimś tobole patelnię i celnym rzutem zrobił jajecznicę w spodniach Antylopy. Później skoczył na niego i obaj znaleźli się na pierzynie. Siłowali się, stękając. Antoni chwycił pierwszą z brzegu lampę naftową i ruszył ze wsparciem. Podobnie babcia – z jaśkiem i laską próbowała ugodzić Antylopę. Ale nie było to łatwe. Albo jeden, albo drugi co rusz zyskiwał przewagę, a gdy Antoni wreszcie przyładował Antylopie w głowę podstawą od lampy, kilka kropel nafty ulało się też wprost w oczy Łebskiego i obie strony przerwały walkę na złapanie oddechu.

– Panie komisarzu! – asystent także popijał colę, stojąc tuż za zwierzchnikiem – Tam się coś dzieje! Interweniujemy?

– Stać w miejscu! Ale w pogotowiu. Reflektor!

Światło szperacza znowu pognało w kierunku tłumu na ulicy. Antylopa i Łebski już stali o własnych siłach. Babcia podchodziła z prawej, groźnie trzymając laskę, a była to prawdziwa, zakopiańska laga z najlepszej buczyny. Z prawej nadciągał Antoś z kijem hokejowym, na który zamienił lampę. Antylopa chciał strzelić, ale zamek kliknął smutno – skończyły się naboje.

Błysnął nóż. Antylopa jednym susem skoczył ku Łebskiemu, ten uchylił się, próbował wytrącić przeciwnika z równowagi, ale Antylopa dał nura w bok, przejechał ostrzem po pierzynie, skoczył na nią, wielka, biała chmura puchu podniosła się nagle, zasłaniając wszystko, i tyle go widzieli.

– Jest tam, zobacz! – Antoni wskazał przejście między domami, w którym znikał Antylopa.

Ivo ruszył z kopyta, również Nawała poderwał się z fotela, widząc, że jego chytry plan bierze w łeb. Przy okazji poplamił sobie jasny płaszcz gazowanym napojem.

– Panie komisarzu, ja z panem! – asystent też chciał razem ze zwierzchnikiem wziąć udział w finale akcji.

– Zostać! Zająć się studentem i resztą. No i tego aktora natychmiast wieźć do komendy! – krzyknął w biegu. Stracił trochę czasu na przedarcie się przez podwórko i odnalezienie drogi w pierzu, ale udało mu się bezbłędnie trafić w szczelinę, którą pobiegli tamci.

Ivo deptał po piętach złoczyńcy. Szpiczaste buty i staroświecki strój Antylopy przeszkadzały mu w sprincie. Pseudonim, sugerujący dawne zdolności, przy takim sprzęcie wiele nie pomagał. Rzucił jedynie palto wprost na podążającego za nim Ivo, co pozwoliło zyskać kilka metrów, ale nie na długo. Zresztą na tym gama sztuczek Antylopy się wyczerpała.

I pewnie Ivo dogoniłby go za następnym zaułkiem Osiedla Sportowego Nowej Huty, na którym się znaleźli, gdyby nie nieprzewidziany pakunek prosto z nieba, który spadł prosto na głowę Łebskiego.

Oberwał kantem czegoś twardego, stracił równowagę, poślizgnął się na paczce po „Bezrobotnych" i runął jak długi w, na szczęście, niesprzątnięte liście. Uratowały mu twarz.

Antylopa usłyszał, że nikt już za nim nie biegnie. Zwolnił, obejrzał się za siebie. Zatrzymał się, ciężko łapiąc powietrze. Wyjął komórkę i zamówił taksówkę.

– No i co, koleżko, nie udało się, a szkoda! – krzyknął mu Antylopa.

Podchodził z zadowoleniem na twarzy do na wpół przytomnego Łebskiego. Ale na razie nie dało się z nim rozmawiać.

Wtedy od strony, z której nadbiegli, dało się słyszeć ciężkie kroki kolejnego mężczyzny. Okazał się nim, a jakże, Nawała. Szybko zlustrował sytuację: Łebski w liściach podnosił się z parteru, Antylopa znikał w zaułku.

– Stać, stać! Policja! – ale okrzyk policjanta był tak słaby i zaburzony przyśpieszonym oddechem, że Antylopa nawet nie zwrócił na niego uwagi. Na dodatek z góry, wprost na Nawałę runął drugi, niespodziewany ciężar w postaci młodego oprycha, którego kolega jednak nie utrzymał.

W efekcie uderzenia Ivo zainkasował małą dziurę w głowie i stracił trochę krwi. Powoli odzyskiwał jednak świadomość. Nadal kręciło mu się w głowie, a dotkliwe zimno parzyło w pośladki. Niestety rozdarł nieszczęśliwie spodnie i zastanawiał się, jak znajdzie się w domu w takim stroju. „Aduś moja kochana, już wracam z pracy. Kocham cię nad życie!” – wysłał jej sms-a, szczerze dziwiąc się później, że był zdolny do takiego przypływu uczuć. Tylko solidne uderzenie w głowę mogło go tłumaczyć. Gdyby tylko odzyskujący przytomność po uderzeniu Nawała miał numer do Adeli Fajfusówny, też byłby skłonny do podobnych wynurzeń. Poprzestał jedynie na dość przytomnej obserwacji, że zna ulicę, na której leży. Miał nawet znowu przyjść tu jutro wieczorem. „Po co się tak ograniczać? Skoro już jestem, nie odmówię sobie tej przyjemności i dziś” – wykonał ruch, jakby chciał się podnieść, ale w całym ciele poczuł wszystkie kości, a szczególnie kolano. Tak, komisarz Nawała trafił właśnie pod adres hetery Adeli, która dwa piętra wyżej nieświadoma komplikacji, jakie spowodowała, wycierała się wielkim ręcznikiem frotte w słoniki, mając już zlecenie na kolejnego klienta.

Glutas leżał obok wbity głową w podłoże, a plama krwi ścinała się na zimnym asfalcie. Ten obrazek szybko przywrócił Nawale świadomość. „Pamiętam jeszcze tyle, że biegłem i nagle coś na mnie spadło. Czyżby on? – kręcił głową z niedowierzaniem. – Nawet jeśli, niewiele już mi powie".

Dziesięć kroków dalej Łebski siedział na ziemi i właśnie sięgał ręką po jakąś płaską paczkę. Był odwrócony tyłem. Nie zdawał sobie sprawy, że ma towarzystwo. Nawała postanowił dokonać aresztowania poszukiwanego. I znowu chciał wstać, ale wyraźny ból kolana uniemożliwił mu ten manewr. Nie było rady – zaczął się czołgać w poprzek ulicy.

Ivo był zajęty zdzieraniem papieru z pakunku, który był zadziwiająco podobny do tego z radiowozu, a który zrobił mu dziurę w głowie. Papier zaszeleścił i w świetle latarni Łebski zobaczył dwa obrazy zwrócone do siebie tą ciekawszą stroną. Rozłożył je i cmoknął.

– A więc mam was – poznał od razu.

– Zostaw, nie twoje! – Nawała doczołgał się już całkiem blisko. Zaczął grzebać pod marynarką w poszukiwaniu pistoletu, a gdy wyjął wreszcie zastępczego P64, Ivo mierzył już do niego z jego własnej, oryginalnej broni.

– No, to mamy pat.

– Mylisz się kolego, zaraz tu będą moi ludzie – Nawała, mierząc cały czas w pierś Ivo, wybierał numer asystenta. Nie zdążył. Powietrze ulicy przeszył wystrzał. Książka adresowa Nawały i szablony sms-ów poszły w kosmos. W ręce miał tylko plastikową folię – ochraniacz na komórkę i jej antenę.

– Co teraz?

– Nie doceniłem cię. Strzelasz tak dobrze jak ja.

Tym razem przemówiła lufa Nawały. Włos spadł z głowy Łebskiego.

– No, no, jestem pod wrażeniem. Trafił mi się prawie równorzędny przeciwnik.

– Prawie? – Nawala znowu strzelił. Drugi włos, symetrycznie położony na głowie Łebskiego spadł na ziemię.

– Właśnie to. Technicznie jesteś może i dobry, jak ja... – Łebski znowu strzelił i kula strąciła antenę z beretu Nawały.

– ...ale mentalnie?

Nawała odpowiedział strzałem i guzik przytrzymujący pagon u płaszcza Łebskiego też odpadł.

– No, no, jedziesz mi po pagonach. Ale to tylko przypadek.

– Co ty możesz wiedzieć o strzelaniu? – Nawała znów wymierzył i trafił idealnie w guzik drugiego pagonu.

– Ja mówię o mentalności, a ty swoje. Bez chwili zastanowienia. Bo czy pomyślałeś, co ci da, że mnie zdejmiesz, pomimo danego słowa tym z Warszawy? Co ono jest warte?

– Proszę bardzo, filozof się znalazł.

– Ja już nic nie mówię.

– Nie chcesz więc rozmawiać?

– A jaki głupiec poszedłby teraz na to? Może on? – Ivo wskazał na Glutasa, który pomimo stanu nierokującego zbyt wiele, poruszył się niespodziewanie. – Rozwal go do końca, jest nam niepotrzebny.

Nawała uśpił na wieki Glutasa.

– Co teraz proponujesz? – zapytał Nawała.

– Jest nas dwóch. Mamy dwa pistolety i dwa obrazy. Ta ulica ma dwa końce. Nie sądzę, byśmy znaleźli łatwiejsze rozwiązanie. Ja zabieram Malczewskiego, ty dostaniesz Wyspiańskiego. Jutro w gazetach pochwalisz się udaremnioną kradzieżą wielkiego dzieła.

– Nigdy w życiu – odparł Nawała. – Wcześniej czy później i tak nas tu znajdą.

– Mylisz się. O ile znam się na Krakowie, to jesteśmy w takim rejonie, że po zmroku nawet policja tu nie przyjeżdża. Czeka nas długa noc, chyba że...

Wypalili obaj. Dwie kule spotkały się w połowie odległości i opadły na chodnik z metalicznym brzękiem.

– I oto chodziło – Ivo wstał, otrzepał się z liści, wziął pod pachę Malczewskiego i powiedział – Bye, bye, glino.

– Stój! Mówię ci, stój! – zamek pistoletu Nawały głucho brzęknął.

– Nie masz już naboi, glino, nie masz naboi... – Łebski odchodził w światło ulicy, pokazując wściekle miotającemu się na chodniku Nawale swoją bladą, gołą, bezwstydnie świecącą dupę.

Ależ z niej... – pomyślał Ivo, gdy po czterech godzinach czekania, aż ostatni radiowóz odjedzie spod dawnej meliny Antylopy, odpalił wreszcie alfę i wrócił do przyczepy Adeli. Przebudziła się zaspana, gorąca, rozbrajająca.

– Ivuś, dlaczego zawsze szczekasz do siebie, gdy wracasz nad ranem do naszej przyczepy?

– Zauważyłaś to? Zbudziłem cię?

– Od początku wydawało mi się to dziwne, ale nie śmiałam zapytać.

– Nie lubię wracać do domu, w którym nikt mnie nie wita. Ty śpisz zawsze tak słodko, więc myślałem, że niech będzie chociaż pies.

– Ale my nie mamy psa.

– Wiem. Więc go udawałem.

– Głuptasie, przecież mogę cię witać w progu zawsze, gdy będziesz wracał do domu. Nawet jeśli to jest w pół do czwartej.

– Naprawdę? Możesz to dla mnie zrobić?

– Yhm.

– Będziesz szczekać?

Adela przytuliła Ivo do piersi. Wydał jej się małym, zagubionym chłopczykiem, który nic nie wiedział o świecie.

Rozmarynowi na komendzie odebrano walizkę, obraz, pasek, komórkę, która brzęczała sms-ami w szufladzie jeszcze długo, niecierpliwie, aż ucichła. To Jadwiga próbowała się z nim skontaktować. Układał sobie w głowie historie jedna za drugą, jak wytłumaczyć wszystko i jej, i policji, ale po kolei wkładał je między bajki. Mimo tego, nie mógł usnąć. Minęła noc i wzięli go na przesłuchanie.

Oficera, który go przesłuchiwał, znał z planu serialu. Nowością była noga w gipsie, która wyraźnie utrudniała tamtemu poruszanie.

– Co pan robił wczoraj wieczorem i nocą w Nowej Hucie? – Zapytał Nawała

– Najpierw proszę mi powiedzieć, o co jestem oskarżony?

– Na razie podejrzany.

– Nie byłem w Nowej Hucie.

– A kto był na ulicy Żeromskiego, na Osiedlu Słonecznym, później skuty kajdankami i przywieziony do komendy, a teraz przyprowadzony do tego gabinetu? Może ja?

– To była Nowa Huta? Miałem jechać do Bronowic. Taksówkarz mnie oszukał.

– Jaki taksówkarz? Jakie Bronowice? – Nawała nie był skory do żartów, ale Rozmi postanowił strugać wariata i tak umknąć przed procesem. Już widział siebie udzielającego wywiadów w kaftanie bezpieczeństwa, później kaucja i dalej, hulaj dusza, piekła nie ma! Jedynym obciążeniem była walizka pieniędzy, bo falsyfikat „Macierzyństwa" nie stanowił przecież żadnego dowodu. Pod pachą możesz nosić tyle kopii, ile chcesz.

– Zadam panu jedno, podstawowe pytanie, a pan na nie odpowie zgodnie z prawdą. Co robił w pana rękach obraz Stanisława Wyspiańskiego „Macierzyństwo"?

– Nie miałem w rękach żadnego obrazu.

– A czarna walizka pełna pociętych gazet?

– Pociętych – czego? – Rozmaryn, choć aktor, zdziwienia ukryć nie potrafił.

– Gazet – szczęknęły zamki, Nawała podniósł wieko walizki i odwrócił ją w stronę aktora. Rzeczywiście, wewnątrz leżały kolorowe czasopisma, miesięczniki i tygodniki. „Może to podstęp? – myślał Rozmaryn – Jak to możliwe, że ten czarny

neseser kilkanaście godzin temu wypchany pie-
niędzmi, nagle zamienił się w pojemnik na maku-
laturę?". I wtedy przypomniał sobie, że wracając
z ulicy do mieszkania Antylopy, oddał mu neseser
do potrzymania i najprawdopodobniej wtedy został on zamieniony na inny. Wypalił od razu:

– Ale ze mnie frajer, oszukał mnie! – oprzytomniał w sekundę. Przecież był na komendzie, trwało
przesłuchanie i starając się odwrócić uwagę od mi-
mowolnej spowiedzi, zaczął gwizdać.

Nawała wstał, podpierając się kulą, podszedł do
zagrywającego się aktora, wyjął z neseseru kolorowy
tygodnik i chlasnął nim Rozmaryna po twarzy. Zrobiło się cicho, z wyjątkiem stukania kuli o podłogę.

– Zacznijmy jeszcze raz. Co robiłeś z „Macie-
rzyństwem" na ulicy?

Rozmaryn rozcierał policzek.

– Przecież mogę nosić w walizce pocięte gazety i pod pachą reprodukcje, choćby to był sam Le-
onardo, a nie tylko Wyspiański. O co wam chodzi?

Nawała wyjął z walizki gazetę, z okładki której mignęła twarz Adeli Fajfusówny. Rozmaryn
odsunął się mimo woli, żeby nie dostać drugi raz
w papę, ale Nawała tylko się uśmiechał, złośliwy
i pewny swego.

– Falsyfikat znalazłem wczoraj dwie ulice dalej. Ty miałeś w rękach oryginał. Jesteś podejrzany
o kradzież dzieł sztuki.

Rozmaryn zdziwił się drugi raz.

– Jaki oryginał? To miała być kopia – opowiedział znowu bez namysłu, bo zaskoczyło go to nie mniej niż lato pilotów.

– Tak, oryginał.

– Jest pan pewny, że... A więc oszukał mnie drugi raz, zrobił ze mnie żywą tarczę! – Rozmaryn zagryzł wargi. Poczuł, że zaczyna mu brakować powietrza, zbladł na twarzy – Słabo mi, słabo... – po tych słowach przewrócił się na podłogę.

Nawała ani myślał nabierać się na takie sztuczki, choć w duchu przyznał, że Rozmi to świetny aktor. „Zagrał to wyśmienicie. Jak oni to robią? Zawał na zawołanie". Minęła minuta, dwie. Leżący nie poruszył się.

Nawała podszedł do okna i nawet nie patrząc na rozłożonego na podłodze Pietrzykowskiego, zaczął mówić.

– Wiem, że udajesz, od tego jesteście wy, aktorzy. Ja tak nie potrafię. Kieruję się w życiu prawdziwymi uczuciami. I powiem ci, że teraz mam współczucie dla ciebie. Zostałeś w coś wplątany, nawet tego nie zauważyłeś. Wielki dzieciak z ciebie. – Nawała zapalił i odwrócił się do leżącego Rozmaryna. Miał wrażenie, że aktor słucha go z takim natężeniem, że ani drgnie. – Mogę ci pomóc. Wyciągnę cię z tego, jeśli mi pomożesz. Mamy zresztą w tym wspólny interes – Ivo Łebski. Odbił ci dziewczynę,

upokorzył cię. Mnie nie chciał pomóc, choć go pro-
siłem. Wystarczy, że podpiszesz zeznanie i będzie
po wszystkim. Że to Łebski cię namówił do kradzieży Wyspiańskiego. „Usnął, czy co? – myślał. –
To jak będzie? Zgadzasz się?".

Jadwiga obudziła się po źle przespanej nocy.
Czarna sukienka już czekała na oparciu krzesła.
Minęły godziny przygotowań i ciało starszej pani
zostało zabrane na cmentarz. Koleżanki z pracy
też płakały i z napięciem rozglądały się wokoło –
gdzie jest obraz? Niestety, nie było go tym bardziej, im bardziej wpatrywały się w przestrzeń. Na
każde z pytań dotyczące Wyspiańskiego Jadwiga
odpowiadała atakiem łez i tak udało się jej dotrwać
do właściwego pogrzebu. Pod łzami kryła nie tyle
żal po stracie bliskiej osoby, co wściekłość i strach.
Zaufała temu aktorzynie, a on wziął obraz i nie pojawił się z powrotem! Miała jeszcze nadzieję, że
przyjdzie na cmentarz, ale gdy ksiądz skończył na-
bożeństwo, załamała ręce i padła twarzą w otwar-
tą trumnę. Koleżanki odciągnęły ją z trudem. Kondukt zatrzymał się nad czarną dziurą w ziemi.
Jeszcze formułka z brewiarza i duchowny przeżegnał się na zakończenie. Trumna zaczęła znikać
w grobie. I wtedy z kieszeni grabarza wypadł najnowszy „Express", a w niej zdjęcie Rozmaryna na
Rynku.

– Poczekajcie – krzyknęła Jadwiga i wstrzymała pracujących grabarzy. Rzuciła się do grobu. Koleżanki starały się ją zatrzymać, ale nieskutecznie.

Jadwiga wygramoliła się z ziemi z pomocą towarzyszek i otrzepawszy z ziemi rozprostowała gazetę. Zobaczyła w niej Rozmiego dającego autograf roznegliżowanej licealistce. Trochę tym zaskoczyła koleżanki i rodzinę, a zdziwienie nie opuszczało ich dzięki kolejnym wydarzeniom.

– O nie! – Krzyknęła. – Nie dość, że oszust i złodziej, to w dodatku wiarołomca i dziwkarz!

Nawała obserwował scenę z kilku kroków. Kilka chwil wstecz, przechodząc obok grobu swej rodzicielki, przeżegnał się, poprawił kwiatki, zapalił zgaszoną lampkę. Teraz spokojnie stał z dala, za pomnikiem Matejki. Słysząc zawodzącą Jadwigę, wolał się trzymać z daleka. Ale gdy wszystko ucichło, ludzie się rozchodzili, podszedł bliżej, znalazł się na końcu kolejki żałobników i gdy nadeszła jego kolej, najpierw złożył kondolencje, a później powiedział:

– Pani pójdzie ze mną, musimy jeszcze wyjaśnić kilka spraw na komendzie.

I wtedy, ku zaskoczeniu wszystkich, którzy zostali, a najbardziej chyba samego Nawały, z ust oszołomionej Jadwigi wyrwało się zdanie:

– Tak, to ja zabiłam babcię – powiedziała to głosem zimnym, nieobecnym, jakby zza mgły. – Nienawidziłam jej za to, co kazała mi robić.

Obecność Ivo Łebskiego w tym miejscu nikogo nie powinna dziwić – wszyscy ciągnęli na Rynek, nawet jeśli nie mieli żadnej sprawy, a on miał. Wszedł szybkim krokiem do Empiku. Schody w dół poprowadziły go do regałów z płytami, gdzie ukłonił się sprzedawczyniom. Poznały go od razu. Zanurzył ręce w składankach o miłości. Nie ubolewał wielce nad tym, że już prawie żaden z żyjących artystów nie był w stanie nagrać takiej ilości utworów, żeby zrobić z nich płytę; wszystko kończyło się na składankach, a mnogość nazwisk na płytach artystów, producentów i sponsorów wprawiała w zdziwienie nawet jego politechniczny umysł. Starał się wyciągnąć z tego jakąś średnią. „Czy oni wiedzą, że zaśpiewali na tylu płytach?". Z dwóch powodów pozwalał sobie na te wycieczki do miasta, choć wiedział, że go szukali. Żeby odpocząć trochę od zaborczej Adeli oraz żeby zaborczość jeszcze bardziej podkręcać. Znalazł składankę, jakiej jeszcze nie mieli, „Love&Love&LoveII", – O, to coś nowego, w poniedziałek kupiłem „Love&LoveII".

– Tak, to nowość, a w przyszłym tygodniu będzie „Love&Love&Love&LoveII" – opowiedziały chórem sprzedawczynie.

Zapłacił i pogryzając bajgla, poszedł w kierunku Studenckiej, gdzie zaparkował. Tam strażnik miejski właśnie wypisywał mu mandat. Był tak zajęty drukiem, że nie zauważył jak Ivo podkradł się do alfy, wszedł do środka, zwolnił ręczny, tak że samochód cicho wytoczył się na ulicę. Wtedy zapalił silnik i odjechał, a zdumiony strażnik został ze świstkiem papieru w ręce.

Adela już na niego czekała. Zdarła zębami folię z nowej składanki, włożyła do odtwarzacza i zaczęli powolny taniec, który musiał trwać półtorej minuty, ani chwili dłużej, ani krócej.

– To jest zgodne z zasadami dramaturgii filmowej. Bohaterowie mają czas dla siebie, nie podejmują żadnej akcji.

– Naprawdę? – Ivo uśmiechnął się i sięgnął ręką pod bluzkę Adeli, ale dziewczyna uchyliła się i skarciła go wzrokiem.

Im dłużej przebywał z nią sam na sam zauważał, że Fajfusówna była doskonałym produktem swojej branży. Właściwie nie posiadała żadnych osobistych odruchów, tylko wszystkie wystudiowane, trochę przestylizowane, jakby wyciągnięte z jakiegoś wielkiego scenariusza, w którym zapisano całe jej życie.

Ivo kiedyś próbował podjąć z nią rozmowę na ten temat, ale z miejsca rozpłakała się, więc skończyło się na jednorazówce.

Rozmowy, które toczyli, brzmiały niczym wycięte z seriali, i chociaż starał się z początku nadać im inny kierunek, wszystko kończyło się tak samo. On zaczynał:

– Podejrzewam, że dziś będzie sporo roboty na planie.

Ale ona odpowiadała:

– Ależ tak kochanie, będziesz miał dzisiaj sporo pracy na planie naszego serialu. Kto wie, co się może wydarzyć? Nasz zawód jest przecież taki nieprzewidywalny.

Od początku nie mógł zrozumieć tego dyskursu, a po wielu próbach nadania mu bardziej życiowego charakteru, zrezygnował.

I tydzień później, przez nikogo niezmuszany, sam zaczynał w ten deseń:

– Dzień dobry pysiu, jak ci się spało?

A ona z miejsca odpowiadała:

– Dzień dobry pysiu, mnie spało się bardzo dobrze, a jak się tobie spało, też dobrze?

Właściwie, rozmowę o tym „dobrze", mógł z nią toczyć do drugiego śniadania, więc starał się po szóstej kwestii w rodzaju: „tak, po dobrze przespanej nocy, będzie się miało naprawdę dobry dzień", zmienić temat, choć zauważał, że i to było niezwykle trudne. Mieszkał przecież z prawdziwym aktorskim zwierzęciem.

Mieli dwa budziki. Jej, różowy, dzwonił dobrą godzinę przed czasem pobudki. Adela wstawała wcześniej, żeby zrobić makijaż i fryzurę, nałożyć nowe rzeczy na siebie, a także przygotować jego na odpowiednie wstanie z łóżka. Gdy Ivo spał w najlepsze,

Fajfusówna prasowała mu nową piżamę, rozbierała z tej, w której był przez całą noc, i nakładała świeżo odprasowaną. W dodatku naciągała na nogi swego bohatera mokasyny z pałkami, jak przystało na policjanta i ładnie czesała. Po tym wszystkim kładła się cichutko obok niego i udawała, że śpi. W efekcie czego, gdy opuszczali razem posłanie, ona stanowiła idealne odwzorowanie pani reklamującej odzież nocną, a Ivo nie mógł się nadziwić, że zaraz po wstaniu z wyrka wyglądał jak facet z reklamy mydła; uczesany, niepognieciony, w butach. „Ki czort, przecież wszystkie mi mówiły, że mam niespokojny sen – zastanawiał się wielokrotnie – że rzucam się po łóżku jak kozic po kozicy, a tu – wyglądam jak Ken". Dopiero po wielu miesiącach zrozumiał, że to nie była jego zasługa, a Adeli dbającej o każdy szczegół pożycia, tak by było im jak w serialu.

Zaraz po pierwszej kawie, gdy on był jeszcze w piżamie i wspomnianych mokasynach, zaczynali ćwiczyć rolę. Adela stawała na środku przyczepy, Ivo brał kolejne kartki scenariusza i lecieli sceny na dany dzień.

– Cześć kochanie, czy nie sądzisz, że dzisiaj będzie padać śnieg?

– Właśnie o tym myślałem, że będzie padać śnieg. Spójrz, jakie zachmurzone niebo.

– Więc spójrzmy razem, tak mało mamy chwil tylko dla siebie.

– Ach, to niebo jest rzeczywiście bardzo zachmurzone. Rzeczywiście, miałeś rację, będzie padać śnieg.

– A nie mówiłem?

W dniu, gdy przerabiali tę właśnie scenę, Ivo dokonując śmiałej apercepcji, zauważył, że wcześniej, w trakcie śniadania przeprowadzili niezwykle podobną rozmowę, bez żadnych kartek. „Czym było więc moje życie z Adelą – zamyślił się, gdy ona poprawiała struny głosowe – serialem czy prawdziwym życiem? Cholera, chyba zaszło to za daleko".

I chociaż od tego momentu Ivo posądzał Adelę o brak autentyczności nawet w chwilach intymnych, nie miał tego jak sprawdzić. Żadnych testów na autentyczność nie było w aptekach, więc mógł polegać tylko na intuicji. Z drugiej strony Adela postępowała z nim zawsze lojalnie, było im naprawdę dobrze w łóżku i starała się sprzątać na bieżąco w przyczepie.

Ivo musiał podłożyć pod nogi przyczepy dodatkowe cegły, bo ziemia za bardzo wyrobiła się od ciągłego huśtania. Zbliżał się kolejny wieczór. Niby taki sam jak poprzednie, ale jakiś inny. Łebski zapalił lampę wcześniej niż zwykle, bo na zewnątrz zrobiło się niespodziewanie ciemno. Wyjrzał przez okno. Zaczął padać śnieg, gęsty, niespodziewany, pierwszy. Płatki wirowały w mroku, lekkie, targane wiatrem, ale padały na brunatną, jesienną trawę ciężko, z jękiem, tak przynajmniej mu się zdawało. Ivo gapił się i gapił bez ruchu na tę formułującą się lodową krainę za plastikowymi oknami, która z wolna wypełniała się białą, mrożoną poświatą, i podobny, iskrzący chłód wypełniał mu oczy. Biła z tego krajobrazu jakaś kosmiczna niesamowitość, a z tej lodowej tafli opadającej nie wiadomo skąd nadchodził niepokój. Nie był to niepokój serialowy, tylko dramatyczny, teatralny. Ivo wiedział, że ten niepokój go przerastał. Miał poczucie, że właśnie traci coś istotnego. Że szkoda, że przegapi coś wyjątkowego. Ale gdzie się ruszyć, za co łapać, po kogo dzwonić? Na te pytania nie mógł znaleźć odpowiedzi. I poddawał się temu uczuciu świadomie, z rezygnacją melancholika. Adela w tym czasie robiła paznokcie.

– Na co tak patrzysz, kochanie, już drugą godzinę?

– Eh... – wyrwało się Łebskiemu. Odwrócił się od okna i machnął ręką na dziewczynę, która nawet tego nie zauważyła, skoncentrowana na czerwieni lakieru. „I tak by nie zrozumiała – pomyślał. – Dziwne rzeczy mogą się jeszcze dziać tylko w przyrodzie, bo gdzie indziej? Może ewentualnie w mojej alfie, gdy nagle wysiada elektryka".

Ivo zauważył, że te wyjątkowe chwile zaczęły mu się zdarzać, odkąd został czynnym reżyserem. Pojawiały się niespodziewanie, jak teraz. Tym chyba różniło się aktorstwo od reżyserii, że aktor czekał na kartkę z rolą, a reżyser te kartki mu podawał.

– Nie wiedziałem, że to takie proste, to reżyserowanie – zwrócił się wreszcie do Adeli, która trzepotała palcami, susząc lakier. W całej przyczepie śmierdziało acetonem.

– Nie mówiłam? Wszyscy są zadowoleni. Producent, aktorzy. Ostatni odcinek zrobiłeś z kopyta. Wyszedł najlepszy ze wszystkich. Ty sam jesteś lepszy od prawdziwego Dyjmy.

– Skoro tak dobrze idzie, to można by dorzucić trochę pieprzu i soli do scenariusza, dodać postaciom psychologii, co o tym sądzisz?

– Chyba nie masz zamiaru psuć teraz wszystkiego? Żadnej psychologii. Już wielu przed tobą próbowało – Adela zabrała się tym razem za pedicure.

– No tak, ale człowiek chciałby zrobić coś więcej, dodać, ulepszyć...

– Zrób mi lepiej herbatę. Tę smakową, cynamonowopieprzowoszałwiowoaksamitną.

Ivo wstał spod okna z myślą, że w kwestii słowotwórstwa wyprzedziliśmy nawet Niemców, którzy do tej pory wiedli prym w tej dziedzinie. Sznurek od herbaty ciągnął się nadspodziewanie długo, zanim wyciągnął ją z opakowania. Woda zagotowała się. Ivo podał Adeli kubek.

– Masz rację, nie będę nic zmieniał. Tylko trochę przeszkadza mi podczas zdjęć peruka. Myślisz, że nie zauważyli?

Trudno było nie zauważyć poruszenia, jakie wywołał Nawała informacją o zatrzymaniu Rozmaryna. Pojawiły się wątpliwości co do celowości kontynuowania zdjęć, ale przytomny nowy Dyjma kazał obandażować twarz dublera, umotywował to na poziomie scenariusza jakimś wybuchem i teraz w serialu grała mumia w kurtce Pietrzykowskiego. Wszyscy się dziwili elastyczności podejścia reżysera, co się wcześniej nie zdarzało. Producent gwizdał z zadowolenia. Zaświeciła się nawet lampka w tunelu, że można tak kręcić do końca, to przecież spore oszczędności na gaży, ale Łebski zaprotestował. Równie dobrze następnego dnia mogli mu kazać zawinąć w bandaże dublerkę Adeli i musiałby to uzasadniać dramaturgicznie, ze szkodą dla akcji.

Tak więc, do czasu wyjaśnienia sprawy Rozmiego pierwszoplanowy aktor nie grał twarzą. Adela przechodziła brawurowo od sceny do sceny. Wszyscy ją chwalili. Nocami biała przyczepa w rogu planu huśtała się do późna, a za dnia też była często zatrzaśnięta od środka. Nawała, pomimo nogi w gipsie, pokazywał się dzień w dzień na planie. Starał się zwrócić na siebie uwagę gwiazdy. Spotykały go tylko gwizdy. Na dodatek, gdy tylko reżyser był w pobliżu, co rusz zdarzały się jakieś dziwne przypadki. To od krzesła odpadła noga i Nawała leciał całym ciężarem w sztuczną krew, która walała się po planie hektolitrami. A to w kubku z kawą pływała tabletka nasenna i budził się zziębnięty i zesztywniały w plastikowym fotelu, gdy zapadał zmierzch i wszyscy już poszli. To znów niewidzialna ręka zamykała go w toalecie, skąd wychodził po długim waleniu kulą w drzwi. „Czyżby to ten reżyser? – zastanawiał się z niedowierzaniem policjant, gdy kiedyś zauważył Dyjmę kręcącego się w pobliżu jego opla, a dwie godziny później musiał wymieniać w służbowym wozie wszystkie uszczelki. – Ale to niemożliwe, to przecież taki wielki, prawdziwy artysta".

– A jak wróci prawdziwy Dyjma? – patelnia wypadła z rąk Łebskiemu. Dotychczas to on zadawał podobne pytania. Adela patrzyła na dwa steki leżące na podłodze i głośno przełknęła ślinę.

– Nie mów mi nawet takich rzeczy! – Adela zareagowała zbyt nerwowo, żeby Łebski nie domyślił się, że coś znowu zaszło. Ale on to był przecież szczwany, stołeczny, policyjny i medialny, jak się okazywało, lis.

– Kiedy to się stało? – Ivo podszedł do niej i objął ramionami. Nie mylił się, Adela miała kolejne spotkanie ze zjawą.

– Miałam przerwę w zdjęciach. Ty zostałeś na planie. Wracałam tutaj i zachciało mi się siusiu. Weszłam w krzaki, podciągnęłam spódnicę i, co ci będę opowiadać, wiadomo co. Po skończeniu jakaś ręka podała mi papier toaletowy. W pierwszym odruchu powiedziałam nawet „dziękuję", ale później zdałam sobie sprawę z niebezpieczeństwa. On był tuż za mną! Mógł mnie zgwałcić! Odwróciłam głowę i nikogo już nie było. Nawet nie zdążyłam krzyknąć.

Adela mocno przytuliła się do Łebskiego. Nic wiedział nadal, co o tym myśleć. Fantazje? Chęć wywołania współczucia albo tradycyjnie, szumu wokół siebie?

– To mnie męczy. Wychudzona postać podobna do prawdziwego Dyjmy, która wychodzi z krzaków za przyczepą. Pomimo że tu jesteś i czuję się bezpieczna, ten koszmar ciągle powraca. – Ivo czuł, jak Adela drży. – Jest jeszcze coś. – Wyciągnęła z szuflady kolejny anonim: „Wezmę cię ze sobą do piekła". – Znalazłam to zaraz po tym dziwnym spotkaniu. Był w drzwiach przyczepy.

– Nie mówiłem ci, że nabrałem podejrzeń co do jednej osoby? – Ivo pokazał Adeli dwa anonimy, które znalazły się w jego kieszeni po walce w „Nic Nowego". – Ten znasz, ale skąd nagle drugi? Albo z twojej torebki, albo ode mnie, albo z kieszeni Nawały. Tobie ufam, sobie tym bardziej, a więc to nikt inny, tylko Nawała.

– Ale dziś całe popołudnie spał w barze, bo znowu dosypałeś mu czegoś do kawy, więc nie mógł tu przyjść.

– Masz rację.

– Widzisz, nie mam do ciebie żalu, że już nie zajmujesz się tą sprawą, że pochłonął cię całkowicie film. Rozumiem to doskonale. Przecież sama z tego korzystam. Ale jeśli nie złapiesz tego anonimisty, ja nerwowo nie wytrzymam.

– Bądź spokojna. Akurat skończyłem wszystkie zdjęcia z zabandażowanym Rozmarynem. Więcej się nie da. Na razie stoimy i czekamy, aż go wypuszczą. Prawnicy już działają. Jest nawet lista społeczna w Ministerstwie Sprawiedliwości, żeby go uwolnić. A skoro mam znowu wolne ręce, zacznę działać. Ty jesteś dla mnie najważniejsza!

W tym właśnie momencie na zewnątrz trzasnęła gałąź. Później usłyszeli, jakby ktoś oparł się o plastikową ścianę ich domu. Może stracił równowagę, może uderzył specjalnie? Coś, jakby cień człowieka mignął za oknem. Uciekał czy odchodził? Wiatr zagłuszył wszystko. Bez wątpienia byli podsłuchiwani. Adela znieruchomiała z przerażenia, a Ivo bez namysłu chwycił zdobyczną na Nawale broń, wyskoczył z przyczepy, obiegł ją dookoła i w ciemną, nieprzeniknioną ścianę drzew oddał cały magazynek. Huk wystrzałów niósł się po pustym, filmowym planie, a ciałem Adeli wstrząsały dreszcze po każdym pociągnięciu spustu.

W ciele Dyjmy tkwiła kula. Przeszkadzała mu w poruszaniu się, siedzeniu, mówieniu, chociaż mówił mało, bo nie miał do kogo. Nie poszedł na pogotowie. Sądził, że kula sama wyjdzie, jak drzazga, trzeba było się tylko trochę skupić.

Znowu był na Plantach. Minął najstarsze kino w Polsce, „Wanda", przerobione na delikatesy z wózkami. Kiedyś zwracał uwagę na to, czy lecą jego filmy w tych delikatesach, a teraz tylko ze smutkiem pokręcił głową na myśl o tym, że wstawili do środka zamiast szóstego rzędu paprykarz szczeciński i żelatynę.

Ta część parku była mniej ludna i zaśmiecona. Masywne mury klasztoru Dominikanów tłumiły odgłosy napływające z Rynku, a ich cień nadawał alei perspektywę małego deptaka. Gdyby iść dalej, w lewo, obok neoklasycznego hotelu Monopol po jednej, a tyłami klasztoru Klarysek i ewangelickiego kościoła Marcina po drugiej, doszłoby się do Wawelu. Ale Dyjma nie chciał iść między turystów. „Frustra vivit, qui nemini prodest". Na próżno żyje ten, kto żyje dla siebie – przypomniał sobie napis nad wejściem do św. Marcina. „A jak żyje ten, kto nie wie, dla kogo? – dywagował, ciągnąc po betonowej alejce sfatygowane buty – zresztą, co ja się będę w protestanckie maksymy wgryzał? Co to za religia, która wyrosła z protestu? Protestować to mogą pielęgniarki albo scenarzyści, ale żeby wierzący?".

Usiadł na ławce. Przypomniał sobie moment, gdy wrócił do piwnicy na Szewskiej. W ostatnim momencie chciał uciec, ale wiedziony tym samym instynktem, dzięki któremu wyswobodził się z niej, wszedł do środka. Odkrył tam zastygłe ciało z przegryzioną tętnicą na szyi, własne dzieło. Coś trzeba było z tym zrobić. Teraz bawił się w kieszeniach płaszcza resztkami z porywacza. Właściwie były to już tylko okruchy z uczty. Przez kilka dni rozniósł go po całych Plantach, poćwiartowanego na małe kęsy, częstując nim gołębie. Ptaszki nawet przyzwyczaiły się do tego dziwnego pana, który miał dla nich coś bardziej wykwintniejszego niż turystyczne jedzenie.

Teraz też nadlatywały zewsząd. Gruchały i domagały się obiadu. Dwóch młodych policjantów w odblaskowych kamizelkach zainteresowało się mężczyzną o wyglądzie kloszarda, zajętym karmieniem ptaków. Akurat rzucił coś na ziemię.

– Ty, patrz, nie wierzę!

– Stać, nie ruszać tego – policjant sięgnął po pałkę, ale jak świat światem, nie była to broń na gołębie.

– Co im dałeś? – drugi szturchnął Dyjmę, a ten rozłożył się na ławce. – To było ludzkie oko!

– Ależ panowie, to nie było ludzkie oko, tylko krowie. Na pewno widzieliście „Psa andaluzyjskiego" Buñuela? I słynną scenę z rozcinaniem oka brzytwą. Tam się tylko wydaje, że to ludzkie oko, a to było oko wołu. – I dorzucił gołębiom łaszącym się do jego stóp zasuszoną powiekę.

Jeden z mundurowych chciał przejąć ewentualny dowód rzeczowy, ale szaroniebieski ptak był szybszy. Porwał makabrycznego chipsa i odleciał.

I tak oto krakowskie gołębie poniosły w przestworza kolejną tajemnicę miasta, kto wie którą z rzędu zbrodniczych?

– Dowód proszę – Dyjma podał mu zieloną książeczkę. – Jeszcze niewymieniony na nowy? Za to jest kara. – Zerknął do środka. – Rabarbar Dyjma, jak ten reżyser? Nie, to niemożliwe. To twoje papiery, człowieku?

– A niby czyje? Od zawsze byłem Rabarbar Dyjma.

– Tylko że tak się nazywa ten świetny reżyser od filmów z Pytlasiewiczówną, a nie jakiś bezdomny.

– Już mi kiedyś ktoś to mówił. To zbieg okoliczności.

Wzięli go jednak na komisariat. Przesłuchali, zrobili zdjęcia i wypuścili na wolność. Nikt z przełożonych nie chciał uwierzyć, że można karmić gołębie tylko ludzkim wzrokiem.

Nawała znowu zapatrzył się w zdjęcie Adeli, ale szybko otrząsnął się z zamyślenia.

– Wprowadzić aresztantkę – powiedział do słuchawki.

Kiedy Jadwiga weszła do środka prowadzona przez dwóch wartowników, Nawała znowu przekładał papiery na biurku. Prawdę mówiąc, wcale tego nie dostrzegała. Nie widziała prawie nic, oprócz barwnych plam. Nie słyszała też wiele, z wyjątkiem krótszych i dłuższych dźwięków, ale co one oznaczały?

– Proszę siadać – powiedział Nawała. Okręciła się bezradnie, nie wiedząc, co ze sobą zrobić. Wartownik posadził ją na krześle.

– Dziękuję, możecie odejść.

– Na pewno, panie komisarzu? Chce pan zostać sam w pokoju z dwójką podejrzanych?

– Nie martwcie się, w razie czego będę dzwonił.

Wartownicy zasalutowali i odeszli.

Jadwiga pozostawała w stanie zapaści od pogrzebu babci. Była to demencja tak głęboka, że nie zauważyła nawet siedzącego obok Rozmaryna. W innych okolicznościach wydrapałaby mu oczy, a później kazała szczekać. W tych innych okolicznościach Rozmaryn powinien się bronić, ale nadal siedział w dziwnej pozycji na krześle, nieobecny, jakby na coś czekał. Nawała liczył na reakcję po obu stronach. Zawiódł się. Ani Jadwiga, ani aktor nie wykazywali zainteresowania ani sobą, ani sytuacją. Wyjął z szuflady dyktafon.

– Konfrontacja dwójki podejrzanych... – po wstępie powinno nastąpić właściwe przesłuchanie. Niestety, oprócz serii pytań, które padły z ust Nawały, pozostali nie powiedzieli nic. Wreszcie zdenerwowany komisarz wstał i swą nową bronią, kulą od nogi, szturchnął mocno aktora.

– Radzę ci, przestań udawać! Jasne, że nikt nie chciałby być w twojej skórze, ale przed sprawiedliwością nie uciekniesz!

Rozmaryn przechylił się powolnym ruchem w bok i tracąc równowagę, z głuchym łomotem osunął się na dywan. – Nie dam się nabrać na takie sztuczki! Jeszcze nikt nigdy nie wyprowadził mnie w pole i tobie też się to nie uda! Możesz być świetnym aktorem, ale mnie nie nabierzesz! – Nawała szturchał leżącego i coraz bardziej się denerwował. Miał czym, bo Rozmaryn od wielu godzin świetnie grał nieżywego. Innej możliwości Nawała nawet nie brał pod uwagę.

– Dlaczego go bijesz? – Jadwiga nagle oprzytomniała. Nie na tyle jednak, by poznać byłego kochanka. Nie wiadomo, co wydobyło ją z odrętwienia, może po prostu zrobiło jej się żal człowieka na podłodze? Nawała od razu przeniósł na nią agresję. Skuliła się na krześle, podciągając kolana pod brodę i słuchała, słysząc coraz mniej.

– Ty też udajesz! – głos komisarza słychać było aż na końcu korytarza. – To może od razu powiesz, od kiedy myślałaś o zbrodni?!! Ależ mi się komedianci trafili! – Buraczany kolor wyszedł mu na twarz, a wydatna grdyka trzęsła się jak u indora. Im dłużej przyglądał się dwójce złapanych przez siebie przestępców, tym bardziej wątpił w swoje umiejętności. A już Rozmaryn, kpiący w żywe oczy od ostatniej rozmowy, doprowadzał go do białej gorączki. Jak świat, światem, nie poznał jeszcze nikogo tak konsekwentnego w kamuflażu. „Widocznie ma coś do ukrycia" – kombinował Nawała. Teraz, stojąc nad Jadwigą, ciężko dyszał, co również zarejestrował nagrywający całe spotkanie dyktafon.

– Co wy sobie tutaj urządzacie, ja się pytam?! Odpowiadać natychmiast! Czy to jest przesłuchanie na Komendzie Miejskiej Policji w Krakowie, czy jakaś sztuka w teatrze, konfrontacja wariatki i nieboszczyka?!!!

Nawałę po tej rozmowie mógł uspokoić tylko służbowy koniak w ilości sporej.

– A co z nim? – wartownicy, którzy odprowadzali Jadwigę do celi, zainteresowali się siedzącym na powrót na krześle Rozmarynem.

– On tu jeszcze zostaje.

– Chciałem zauważyć, że siedzi z panem komisarzem od wczoraj. To niezgodne z przepisami.

– I posiedzi ładnych parę lat – Nawała groźnie spojrzał na nadgorliwego podwładnego. – Kto tu prowadzi śledztwo, ja czy ty?

Łebski prowadził własne śledztwo, swoimi metodami. Miał na sobie stary płaszcz Nawały, jedną z wielu pamiątek tej trudnej znajomości, który Adela przed wyjściem wyprała i uprasowała. Była w tym naprawdę dobra, więc wartownik zdawał się solidnie zaskoczony, gdy zobaczył szefa tak schludnie ubranego. Wpuścił go od razu. Nawała nigdy nie podpisywał listy i teraz też.

– Szef tutaj? Jest prawie północ... – pytanie pozostało bez odpowiedzi.

Ivo szybko sforsował drzwi do nie swojego gabinetu, wszedł do środka, usiadł i zapalił papierosa. Trzeba było zebrać myśli, bo w środku znalazł trzy rzeczy. Jednej się nie spodziewał, druga zdawała się być rozwiązaniem zagadki, kolejna wprawiła go w przygnębienie.

Na podłodze leżał trup znanego aktora, Rozmaryna Pietrzykowskiego.

Ivo nie wyczuł pulsu, ciało był zimne, zesztywniałe. Włączył światło. Jako Ivo Łebski nie zrobiłby tego nigdy. Jako gospodarz gabinetu – nie widział problemu. Jak na jego oko aktor nie żył od dwóch dni, jeszcze kilkanaście godzin i zacząłby najzwyczajniej gnić. Pomyślał o Nawale, że to naprawdę nieobliczalny i niebezpieczny człowiek. Wybawienie świata od niego powinno się wiązać z wiecznym zbawieniem i solidną premią. Podszedł do okna.

– Ciekawe, czy w niebie można palić? – Zapytał sam siebie. – Bo jeśli nie, to wolę wylądować gdzie indziej.

Zaciągnął się mocno jeszcze raz, zgasił papierosa i otworzył czarny neseser leżący na biurku. Wewnątrz znajdowały się kolorowe gazety. Niby nic, ale gdy Łebski wziął znany sobie miesięcznik, z którego patrzyła na niego uśmiechnięta Adela, przekartkował go i trafił na strony z wyciętymi literami. Do kogo należała czarna teczka? Do Rozmaryna? Najprawdopodobniej tak, ale nie mógł wykluczyć, że to gazety Nawały. „Nieobliczalny, niebezpieczny i do tego zboczeniec". Wziął do ręki zdjęcie Adeli, które stało na biurku. Spojrzał też na fotografię Nawały w galowym mundurze z jakiejś akademii.

Później, przeglądając teczki leżące na biurku, odnalazł na okładce swoje nazwisko. Przez długą chwilę nie był w stanie zrobić nic. Wreszcie wstał, podszedł do szafki, z której kiedyś częstowano go koniakiem, wypił jeden szybki, nalał kolejny i wczytał się w akta. Trwało to dość długo. Wreszcie zamknął teczkę, zwinął ją w rulon i włożył do płaszcza. Podobnie postąpił z dywanem, w którym znalazło się ciało Rozmaryna. Miał ze sobą sznur, który zabrał na wypadek szybkiej ewakuacji. Zawiązał mocny węzeł na paczce, otworzył okno i spuścił ją na podwórko. Miał już wyjść z gabinetu, ale jego wzrok zatrzymał się na dyktafonie. Nie było już czasu na odsłuchiwanie nagrania na miejscu. Włożył dyktafon do kieszeni. Wyszedł na podwórze komendy. Chwycił mocno ciało Rozmaryna i przerzucił na drugą stronę muru. Tą samą drogą, którą wszedł, opuścił budynek.

Stało się tak, że Rozmaryn leżał na ulicy już rozpakowany. Łebski spróbował z powrotem zawinąć go w dywan, ale z naprzeciwka ktoś nadchodził. Otworzył szybko drzwi alfy, nie bez sporego wysiłku wrzucił go na tylną kanapę i odjechał.

Podczas jazdy włączył nagranie z dyktafonu: „...jeśli tylko oboje wskażecie, że Ivo Łebski namawiał was do popełnienia kradzieży i zabójstwa, wyciągnę was z tego". Alfa jechała powoli wzdłuż Plant, a Łebski z zainteresowaniem przesłuchiwał taśmę. Uśmiechał się do siebie, wiedząc, jaką zrobi niespodziankę Rutynnemu, wysyłając dyktafon do Warszawy. „...ma już na koncie zabójstwo jednej staruszki. Ucieczkę z aresztu i kradzież broni. To bardzo groźny przestępca. Dlaczego nie chcecie pomóc sobie i mnie?"

Ciało Rozmaryna miał zamiar zawieść Antoniemu, na Cichą, i poprosić o zabalsamowanie. Myślał już z powrotem jak reżyser kasowego serialu i to ciało, warte wiele setek tysięcy, jak oceniała je widownia, było mu jeszcze potrzebne do kilku scen. „Skadruję go tak, że nikt nie zauważy, że jest trupem – kombinował. – A głos się podłoży w studiu".

Jednak na czerwonym przed Pocztą Główną zdarzyło się coś nieoczekiwanego.

– Nieźle, co? Chciał cię wrobić w morderstwo i kradzież w muzeum – zdezorientowany Łebski rozejrzał się wokoło. I byłby posądził prędzej o autorstwo tej kwestii swój własny brzuch, gdyby nie ironiczny uśmiech Rozmaryna Pietrzykowskiego we wstecznym lusterku.

– O, mięso! – zaklął Łebski. – Czegoś takiego w życiu nie widziałem! I uderzył się kilka razy po twarzy. Na wszelki wypadek zaciągnął też mocnej szalik na szyi, bo z upiorami nigdy nic nie wiadomo.

– Tak, stary. Umieranie ćwiczyłem wielokrotnie w szkole aktorskiej. Na przykład są takie sztuki, że się umiera przez pół ostatniego aktu. – Wyjął z marynarki grzebień i w tym samym lusterku, przez które Łebski cały czas gapił się na niego wielkimi oczami, przeczesał fryzurę. Ivo dosłownie stracił dech. Nie wiedział co robić, a tamten kontynuował. – Później sam posunąłem tę sztukę odrobinę dalej. Umierałem na godzinę, dwie. Ale ciągle mi było za mało. Gdy po raz pierwszy umarłem na całą niedzielę, inna sprawa, że mieliśmy ostrą popijawę w akademiku, wiedziałem, że stać mnie na więcej. No i mam teraz nielichą satysfakcję. Też się nabrałeś. No, co jest, zaniemówiłeś?

Światła zmieniły się na zielone, ale Łebski nie ruszał.

– Myślałem, że zwieję, gdy przyjedzie karawan do komendy – kontynuował. – A tu, proszę, transport znalazł się wcześniej. Trochę mnie poobijałeś, ale taka jest cena wolności. – Poprawił koszulę, zapiął kurtkę, jeszcze raz zerknął do lusterka. – No, dobra, dzięki za podwiezienie. Będę leciał.

I rzeczywiście jego obraz zniknął ze wstecznego lusterka. Łebski usłyszał jeszcze trzaśnięcie drzwiami i tyle widział widmo Rozmaryna Pietrzykowskiego.

Zaparkował. Wszedł na pocztę w stanie głębokiego szoku.

Włożył dyktafon do koperty, zaadresował na Rutynnego i podając kobiecie w okienku, chwycił ją za rękę.

– Panie, co pan robisz?

– Uff, pani jest prawdziwa, to dobrze.

– Idź się pan leczyć.

Łebski wyszedł na ulicę. Zapalił. Dochodził do siebie. Jakiś bezdomny podszedł do niego i poprosił o papierosa. Ivo dał mu całą paczkę.

– Cuda, prawdziwe cuda! – usłyszał.

– Tak, człowieku, Kraków to miasto magiczne.

– W tym mieście jest cała masa obrazów do skopiowania.

– A do tej pory?

– O, sporo tego było. Malczewski, Chełmoński, Wybicki.

Stasys, Wróblewski i Nowosielski z tych bardziej współczesnych. Antylopa przygotowywał się do serii najnowszej. Grupa „Ładnie" coś panu mówi? – Nie widząc reakcji Łebskiego, Antoni kontynuował: – Przede wszystkim Maciejowski i Sasnal. Zachód zwariował na ich punkcie i on postanowił to wykorzystać.

– I wszystkich ich kopiowałeś?

– Nie miałem wyjścia.

– Trzeba iść z tym na policję i zrobić listę fałszywek. Ludzie muszą wiedzieć, co kupili.

– Proszę, tu są wszystkie moje prace dla Antylopy. Tytuły, daty. – Antoni otworzył szufladę komody i podał Łebskiemu notes.

Po co iść na policję? Lepiej oddać to panu.

Łebski przyjął komplement skinieniem głowy.

Przyjechał wreszcie do pensjonatu na Cichą i oddał Malczewskiego, choć Adela namawiała go, żeby nie pozbywał się prezentu od losu.

– Miałabym wreszcie jakiś oryginalny obraz w kolekcji.

– Oryginalny? – Ivo zdziwił się, ale Adela zaraz zmieniła temat.

Na widok ściany na powrót udekorowanej Malczewskim, starsza pani nie posiadała się z radości, ale przy okazji bezlitośnie rozprawiała się z Ivem na szachownicy.

– Co za bezsensowny ruch, poddał pan gońca.

– Rzeczywiście, ale to wynik błędu mojej asystentki.

– No cóż, teraz jest pan w tarapatach. Szach!

Po skończeniu partii hrabina de Szumiejska, zadowolona z odzyskania swego dawnego życia, usiadła w ulubionym fotelu, siorbnęła gorącą herbatę z rodowej porcelany, trzepotała językiem jeszcze przez chwilę, aż wreszcie okulary zsunęły się jej z nosa i zapadła w drzemkę.

Znowu ten sam salon i zmierzch. Cienie nadeszły od ogrodu i wpełzły do środka przez podwójne okiennice. Wypolerowane światłem meble teraz zapadały w podobny sen do tego, którym śniła pochrapująca co jakiś czas hrabina. Antoni nie zapalał jeszcze światła. Sprzyjało to rozmowie, choć wzrok powoli gubił się w rozmywających się szczegółach twarzy, sprzętów, ścian.

– Muszę złapać trop Antylopy. Pomożesz mi?

– W mieszkaniu na Hucie już się na pewno nie pokaże, ale może w tym na Kazimierzu? Ulica Ciemna 16. Malowałem też na Szewskiej, Szcze-pańskiej i na Podgórzu. Sporo tych adresów.

– Muszę je wszystkie sprawdzić. Coś jeszcze?

– Tak, od czasu do czasu spotykaliśmy się w ko-ściele Pijarów na Jana. Piękny, barokowy kościół. Antylopa zachwycał się nim do tego stopnia, że za-stanawiał się nad tym, ile waży. „Chyba nie chce pan ukraść kościoła?" – zapytałem go kiedyś. Uśmiech-nął się tylko i nic nie powiedział. Myśli pan, że to możliwe?

Ivo wzruszył ramionami na niedorzeczność po-dobnego pomysłu.

– Co mam zrobić, jeśli tu przyjdzie?

Łebski wyjął z kieszeni pistolet.

– To jest wprawdzie rozwiązanie niegodne arty-sty – wskazał na zimny kształt – ale mogę ci go zo-stawić. Jednak, czy potrafisz użyć pistoletu, strze-lić do człowieka?

– Mam inną możliwość?

– O ile wiem, to stary typ bieli malarskiej, od-powiednio użytej, może stać się groźną bronią.

– Chodzi panu o biel cynkową?

Ivo przytaknął.

– Z tubką farby w kieszeni przeciwko przestęp-cy? Zaczyna mi się to podobać.

– Wydaje mi się, że na razie jesteście tutaj bez-pieczni. Z tego, co powiedziałeś wcześniej, Anty-lopa pozostaje pod wpływem uroku hrabiny i jest pod wielkim wrażeniem twojego talentu. Stary typ przestępcy z zasadami. Nie przyjdzie cię zabić. To byłoby niedżentelmeńskie. Może nawet zakłada, że za rok, dwa, znowu będziesz dla niego pracował. I to nawet dobrowolnie.

– Ja? Tak pan sądzi?

– Tak czy siak, i ja bardzo nie lubię tego faceta – Ivo schował pistolet. – No dobrze, będę się zbierał. Nie budź hrabiny i pożegnaj ją ode mnie.

Na zewnątrz Antoni zatrzymał jeszcze na moment gościa przy furtce.

– Czy wy się znacie, pan i Antylopa?

– Bardziej on mnie niż ja jego i mogę się domyślać, kto mnie jemu przedstawił. Do widzenia! – Ivo nie miał ochoty na zwierzenia.

– Aha, jeszcze jedna rzecz. Babcia powiedziała, żeby zapłacił pan za cztery dni pobytu w pensjonacie, kiedy nie wymówił pan jeszcze pokoju.

– Ale ja mieszkałem już wtedy u Fajfusówny.

– Pokój cały czas był gotowy. A jakby ktoś przyjechał?

– Nikogo nie przyjmujecie od lat.

– Takie są zasady – Antoni wzruszył ramionami. – Dwieście czterdzieści siedem i dwadzieścia groszy. Dwadzieścia siedem groszy, jeśli już chodzi o ścisłość.

Była siódma rano. Nawała, dojeżdżając do komendy, zauważył leżący na chodniku dywan, podobny do wyposażenia jego gabinetu.

– O, pan komisarz tak wcześnie? W nocy wychodził pan po pierwszej. I nie miał pan już gipsu, a tu znowu? – Wartownik zasalutował i wpuścił Nawałę do środka. Nawała prawie biegiem, na ile pozwalało mu obciążenie nogi, pokonał odległość do swojego pokoju i tam sprawdziły się jego najgorsze przeczucia.

Przez otwarte okno wpadało do środka lodowate powietrze. Ciało Rozmaryna zniknęło. Nie było też zdjęcia Adeli i jego, ze Święta Policji.

Zamknął okno, sięgnął po butelkę koniaku i odkrył kolejnych kilka detali. Ktoś w nocy częstował się jego alkoholem. W popielniczce znalazł niedopałki marlboro. Na dodatek ten ktoś wziął dyktafon i wyniósł akta Ivo Łebskiego.

– Mięso! – Nawała po wypiciu trzech kieliszków koniaku poczuł ukłucie w sercu. Usiadł i spoglądał na otwarte wieko czarnego neseseru. Sięgnął po tabletki uspokajające i znowu popił je koniakiem. Jeszcze nie wierzył, w to, co zastał. – Ten cholerny Łebski! To wykluczone! To nie mogło się zdarzyć!

Wykluczenie Rozmaryna z obsady było sporym zaskoczeniem, ale nikt długo nad nim nie płakał. Film zyskał jeszcze większy rozgłos zanim powstał, bo casting na nowego aktora miał postać medialnego show. Łebski starał się trzymać na uboczu tego zamieszania, bo chociaż polubił nową branżę, za żadne skarby nie chciał nikogo nakłaniać do wysyłania pustych esemesów.

Wreszcie przedstawiono mu nowego aktora głównego. Nazywał się Bożydar Racuch. Adela, gdy go zobaczyła, obróciła się na pięcie i powiedziała, że z nim grać rozbieranych scen nie będzie. Producent nalegał, i stanęło na tym, że jej kadry intymne odbędą się tylko z Dyjmą, a Racucha dogra się z dublerką.

Ale nowy i tak od razu wszedł w gorącą scenę. Była nią rozpędzona ciężarówka z benzyną, do której miał strzelić tak, aby nic nie wybuchło.

Ćwiczyli najpierw na sucho.

– Gotów?

– Jasne!

– Światło! No gdzie jest światło?! Akcja!

Zza zakrętu wyłoniła się najprawdziwsza scania i głośno trąbiąc, jechała na aktora. On sięgnął po pistolet i zamarkował strzał. Według scenariusza powinien w tym momencie uskoczyć w krzaki, ale stał jak wmurowany i wpatrywał się w reflektory scanii, które zbliżały się z zawrotną prędkością. Chyba nie spodziewał się czegoś tak realistycznego. Był świeżo po szkole.

Widząc, co się dzieje, Łebski rzucił się w kadr i w ostatnim momencie zepchnął Racucha na bok. Wcześniej, zdezorientowany kierowca zaczął hamować, co skończyło się widowiskowym poślizgiem.

Ale nikomu nie było do owacji, bo ciężarówka wjechała bokiem w bar z kawą i paluszkami, pozbawiając ekipę przekąsek i miejsca do plotkowania na kilka dni. Na szczęście nikomu nic się nie stało.

– No nie, on się do niczego nie nadaje! – Dyjma wyszedł z rowu, poprawiając ubranie. Za nim wygramolił się jeszcze sparaliżowany strachem Racuch. – No co jest, dlaczego nic nie mówicie?

Na te słowa od razu obok reżysera znalazła się Adela i szybkim ruchem poprawiła mu odklejone wąsy.

Jakim cudem udało się do tej pory trzymać wszystko w tajemnicy?

Tego sam Łebski z nowym Dyjmą nie wiedzieli ani wspolnie, ani każdy z osobna. Postać balansowała na granicy wiarygodności już od dłuższego czasu. Nawet niedowidząca bufetowa nabrała podejrzeń od momentu, gdy reżyser zaczął zostawiać jej napiwki, co się wcześniej nie zdarzało.

– No nie ten sam człowiek – wyraziła taką opinię do którejś z koleżanek, nie wiedząc jak celnym trafieniem się popisała. Nawet przedstawiciel producentów przymknął oczy na fakt, że należna część wypłaty po połowie zdjęć poszła na konto jakiegoś mieszkającego w Warszawie obywatela. Bo chyba wszystkim zależało na tym nowym Dyjmie, od sprzątaczek po radę nadzorczą zakładów tłuszczowych, które dały pieniądze na serialową superprodukcję. Nowy Dyjma był zupełnie innym człowiekiem niż poprzedni. Uśmiechnięty, ale stanowczy. Rzeczowy i z fantazją. Czasem wykazywał braki warsztatowe, jak wtedy, gdy chciał kręcić scenę łóżkową przy zgaszonym świetle. I dopiero po zniszczeniu czterech kilometrów taśmy zrozumiał, że w takich warunkach nic nie było widać; z naturalizmu wyszły czarne chmury. Ale wszystko to razem wzięte, opowiadane później jako niezbędna anegdota środowiska filmowego, spulchniająca mdłą glebę oczekiwania na castingach, zdjęciach próbnych, rozmowach, nikomu nie przeszkadzało. W końcu w zespole każdy jest indywidualnością, dlaczego on miał nie być?

Dyjma wyprosił cały zespół ze studia. Kręcąc głowami, wyszli niechętnie, bo miał kręcić z Adelą scenę rozbieraną, a rozebrana Adela wyglądała jak Wenus z Milo, a nawet korzystniej, gdyż była kompletna. Scena wypadła świetnie, bez żadnego udawania, zresztą nie mogło być inaczej – Łebski z Fajfusówną niczego nie udawali.

– Idź już do przyczepy, kochanie – powiedział jej, podając bluzkę. Zobaczę, co dziś nakręciliśmy i przyjdę za godzinę. Zrobisz coś na obiad?

Ale godzina minęła i Łebskiego nie było. Wreszcie wszedł do przyczepy, w której pachniało pieczenią. Świece były wypalone do połowy. Adela drzemała ze scenariuszem na kolanach.

Zdarzało mu się, szczególnie na początku znajomości, że mówił do niej „Agata". Nic dziwnego, przypominała mu ją do złudzenia. Teraz, kiedy miała zamknięte oczy, też wyglądała jak tamta,
gdy widział ją po raz ostatni. Wyjął z rąk Adeli scenariusz i włożył w to miejsce swoje akta. Po cichu
wyszedł.

Wrócił do stołu montażowego i jeszcze raz zaczął przeglądać nakręcony materiał. Zatrzymał
kadr, w którym rzucił się na Racucha. Powiększył
obraz. Raz, drugi, wielokrotnie. Skierował uwagę na krzaki w tle. W gruboziarnistym powiększe-
niu, pomiędzy gałęziami i liśćmi odnalazł twarz
obcego człowieka, nikogo z ekipy. Ivo spoglądał
na siebie w odbiciu na monitorze. Nadal w kamuflażu. Wąsy, broda, doklejone włosy i okulary na
nosie. Tamten na zdjęciu wyglądał jak jego starszy brat na progu załamania nerwowego. Wychu-
dzony choleryk ze szklistymi oczami. Wydruko-
wał zdjęcie.

Po wyjściu na zewnątrz skierował się w tę część
planu, w której kręcili dziś zdjęcia. Znalazł ślady
hamowania ciężarówki. Wszedł w krzaki porasta-
jące brzeg betonowej drogi. Było ciemno, ale z la-
tarką w ręce, szukał. Czego, kogo? Jakiegokolwiek
śladu. Najlepiej by było, gdyby spotkał osobiście
człowieka ze zdjęcia, ale tak się nie stało. Jedyne,

co znalazł, to ciemnobordowe ślady krwi na gnijących liściach. Ziewnął. W powrotnej drodze prowadziło go światło z okien przyczepy. Położył rękę na klamce.

Klamka poruszyła się, Ivo wszedł do środka w momencie, gdy Adela zamykała przeczytane akta.

– Czy to, co tu piszą, to prawda?

– Mniej więcej.

– Powiedz mi, czy ją kochałeś?

Ivo odpowiedział, że tak.

– Wiesz, jak to brzmi? „Podejrzany miał duże uczucie do denatki”.

– Nikt nie mówi, że policyjne akta to literatura.

– Puścili cię wolno?

– Działałem w obronie własnej.

– Sam na sam w pokoju z dziewczyną. Chciała najpierw zabić ciebie, a później siebie?

– Nie do końca. Wszedłem do ciemnego mieszkania. Nagle ktoś zaczął do mnie strzelać. Co miałem zrobić? Myślałem, że przyszli po mnie. – Ivo usiadł obok Adeli. – W jej ciele znaleziono dwie kule. Samobójczą i z mojego pistoletu. Chyba wiem, która była pierwsza.

– Tu jest inaczej.

– Poszli mi na rękę.

– To dobrze, że ci pomogli.

– W czym? W mniejszej karze? W zapominaniu? I jedni, i drudzy wiedzieli, co się dzieje, ale nie zrobili nic, żeby temu zapobiec.

– Jacy drudzy?

– To była dziewczyna mafii. Jedna z wielu. Nie wiem nawet, czy nie prostytutka. Wyobrażasz sobie, zakochać się w kimś takim?

– Mogę tylko starać się sobie wyobrazić, co przeżyłeś.

– Ja jeszcze... – nie dokończył, bo Adela podeszła i pocałowała go.

– Jeszcze tylko jedno mnie zastanawia. Że od czasu, gdy zacząłeś reżyserować, scenariusz powoli zmienia się w to – wskazała na teczkę Łebskiego. – I że gram dziewczynę, którą zabiłeś.

– Zabiłem, bo kochałem. Bo od początku prowadziła podwójną grę. Była przez nich podstawiona, żeby mnie zgubić. Rozgryzłem ją dzień po tym, gdy zakochaliśmy się w sobie. Nie chciała mnie słuchać. Była chora. Łykała ciągle jakieś tabletki. Mówiła, że spotka ją coś najgorszego jako kara za grzechy. Powiedz, czy to normalne, żeby chcieć się zabić z miłości?

Usiedli do kolacji.

– Też chciałam ci coś powiedzieć. Znam Antylopę. – Ivo stracił na moment panowanie nad nożem. – Pamiętasz, że mój agent polecił mi, żebym zainteresowała się sztuką, kupiła trochę obrazów, poczytała o nich. Generalnie chodziło o to, aby nie być głupiutką gęsią, której się tylko udało.

– Przecież taka nie jesteś.

Adela nie powiedziała nic, tylko przypomniała sobie, że ma jutro odebrać płaszcz od krawcowej. Kupiła go na ciuchach. Prawdziwy Armani. Trzeba było jedynie skrócić rękawy.

– Pomyślałam, po co kupować w sklepie, gdzie jest drożej, skoro można bez pośredników. I taniej, i więcej można mieć. Przez mojego kierowcę znalazłam kontrakt, umówiliśmy się i tak spotkałam Antylopę.

– Gdzie?

– W jakimś kościele.

– Pijarów? Na Jana?

– Skąd wiesz? – Ivo wzruszył ramionami. – Zgadza się. Właśnie tam. Spotykaliśmy się w tym kościele zawsze. Ja mu dawałam pieniądze, a on mnie – obrazy. Zaręczał zawsze, że są z legalnego źródła, tylko po co płacić podatki? Zgadzałam się z nim. Zresztą, z pierwszym poszłam od razu do wyceny i potwierdzili, że to oryginał. Trochę się tego nazbierało.

– Gdzie je trzymasz?

– W bagażniku przyczepy, na zewnątrz.

– Podaj mi płaszcz. Chcę, żebyś mi je pokazała.

– Dlaczego chodzisz w tym płaszczu? Przecież to prochowiec Nawały. Nie pasuje ci ten kolor.

– Też go nie lubię, ale mam przeczucie, że będę miał okazję oddać go właścicielowi. Bądź co bądź, szuka mnie policja w całym mieście.

– Może to zbyt niebezpieczne, ruszać się stąd?

– Chciałbym, żeby Antoni zerknął na obrazy.

Na miejscu, na Cichej, okazało się, że z kupionych przez Adelę płócien Antoni namalował zaledwie dwa. Co dowodziło, że Antylopa miał co najmniej jeszcze jednego kopistę. O ile nie więcej. I najprawdopodobniej także szantażem zmuszał ich do malowania.

– Wydaje się, że to wszystko falsyfikaty.

– Ależ tak jest na sto procent – wtrąciła hrabina, której dobre do sztuki oko nie przygasło, pomimo zaawansowanego wieku, i było słynne na całe Bronowice.

– Może chociaż jeden nie? Wydałam na nie mnóstwo pieniędzy. Na tego Marczewskiego, chociażby – Adela miała smutną minę.

– Malczewskiego. Nie sądzę, żeby była pani w stanie odróżnić, co ma wartość, a co nie. – Hrabina nie zapałała sympatią do Adeli, a gdy się dowiedziała, że jest aktorką, chciała nawet zabrać jej sprzed nosa rodową włoską porcelanę, w której pili herbatę, i podać na zwykłym „Ćmielowie".

– I *sursum corda* – Adela odgryzała się jak mogła, ale szło jej niewprawnie. Po raz pierwszy miała do czynienia z kimś z prawdziwego towarzystwa i w gruncie rzeczy była pod wrażeniem.

– Co pan teraz porabia, panie Ivo? – zapytała hrabina.

Ivo, widząc, że branża filmowa nie cieszy się dużą estymą w pensjonacie, powiedział, że szuka intensywnie Antylopy i też z tego powodu znowu się spotkali. – Poza tym ostatnio zainteresowało mnie zagadnienie światła w sztuce. – Ivo nie mógł sobie jednak darować aluzji do pracy na planie serialu, co jednak zauważone zostało tylko w kontekście malarstwa. I o to chodziło.

– Już dawno mówiłam Antoniemu, żeby przeszedł na sfumato, ale uparty jest jak jego ojciec.

– Też jest malarzem?

– Był, proszę pani. Zanim nie zabił się w wypadku na Zakopiance.

– O, to straszna tragedia.

– Tragedie to pisał Eurypides i Szekspir. Śmierć jest tak samo do przyjęcia jak listonosz, pod warunkiem, że się coś po sobie zostawia.

– A pani syn co zostawił?

– Pogiętą karoserię i tego oto młodzieńca.

– Ja też zamierzam coś po sobie zostawić. – Adela za wszelką cenę chciała zaistnieć.

– Z tego, co mówił pan Ivo, jeśli trzymać się wątku motoryzacyjnego, na razie ma pani na koncie zniszczoną karoserię jego samochodu.

Adela zaczerwieniła się jak rasowe alfa romeo i pewnie nadal starałaby się dotrzymać hrabinie kroku, gdyby nie dzwonek do drzwi. Gospodarze spojrzeli po sobie. Nikt nie był proszony. Nie była to też pora wspomnianego listonosza. Antoni poszedł otworzyć. Łebski postanowił się nie ruszać, a nawet nie zareagował na pierwsze odgłosy przybyłego, jakby wiedział, kto jest nieproszonym gościem.

– Kto tam?

– Komisarz Nawała, komenda miejska. Proszę otworzyć.

Ivo z uśmiechem przywitał gościa.

– Wziąłem ze sobą płaszcz. Czy to tego tu szukasz?

– Dobrze wiesz, że nie szukam płaszcza, tylko ciebie.

– Rozumiem, że na wyprzedażach można teraz kupić o wiele ładniejsze? – Ivo czuł się świetnie w swojej skórze. W gruncie rzeczy nie lubił nikogo udawać. Ani tego tu obecnego krakowskiego policjanta, ani reżysera Dyjmy.

– Pożegnaj się z państwem, bo zaraz wychodzimy.

– Najpierw będziesz musiał mnie złapać, glino.

– Chyba nie sądzisz, że przyszedłem tu sam? Cała willa jest otoczona.

– Wiem, widziałem was wcześniej przez okno. Właściwie, za co chcesz mnie zatrzymać? Za zabicie tej oto, siedzącej tu obok starszej pani? Za kradzież obrazu, który spokojnie wisi sobie tutaj, na ścianie? No, za co?

– Chociażby za włamanie do mojego gabinetu.

– Jeśli mnie o to oskarżysz, całe miasto dowie się, że trzymałeś w nim trupa Pietrzykowskiego. To po pierwsze. Po drugie, dlaczego Rozmaryn stał się trupem? Kto go zabił i dlaczego?

– No jasne, że ty.

– Nie mówiąc już o nagraniu na dyktafon próby wymuszenia zeznań, ale po tobie mogę się wszystkiego spodziewać. Nawet anonimów pisanych do Fajfusówny. – Adeli nie było w pokoju, gdy wszedł Nawała. Korzystając z zamieszania wywołanego dzwonkiem do drzwi, poszła do łazienki. – O, właśnie mamy tu Adelę. Poznajesz tego pana?

– Ależ... ja... nigdy w życiu... – Nawała wstrzymał oddech i podbiegł do aktorki. Chwycił ją za rękę i w niskim ukłonie zaczął całować.

– Cóż za poniżenie – hrabina z niesmakiem zasłoniła oczy i nakazała to samo Antoniemu. – Taki porządny z pozoru człowiek z tego komisarza Nawały. Fundowałam mu nawet nagrodę na konkursie poezji w komendzie... .

– Proszę przestać. Ja się na pana o nic nie gniewam.

– Ależ ten, tu... – wskazał na Łebskiego – powiedział, że pisałem do pani anonimy. Pani w to nie wierzy, prawda?

– No dobrze, czas już na nas. – Ivo wstał i pożegnał się z hrabiną oraz Antonim.

– Zaraz, zaraz – Nawała oprzytomniał. – My wychodzimy razem.

– Owszem, nie można przedłużać wizyty w nieskończoność. Ale za bramą nasze drogi się rozchodzą.

– Moi ludzie mają rozkaz, żeby strzelać, gdy zobaczą cię samego.

– Do Adeli też będą strzelać?

– Ależ nie, gdzieżbym śmiał – Nawała znowu rzucił się do całowania. Przeżywał tę chwilę wyjątkowo. Znowu był tak blisko obiektu miłości.

Hrabina, widząc łzawą scenę z Nawałą i Pytlasiewiczówną, nie kryła niechęci do obojga i ostentacyjnie odwróciła głowę w stronę rodzinnych poroży.

– Dobrrranoc – powiedziała grasejując, czego wcześniej Ivo nie wychwycił, i nawet nie podała ręki reszcie wychodzących.

– Dobranoc – powiedział Łebski.

– Dokąd to? Jedziesz z nami na komendę – powiedział Nawała, kładąc rękę na ramieniu Łebskiego. Ten obrócił się szybko, znokautował Nawałę, zdjął z niego płaszcz, włożył na siebie i z uśmiechem zwrócił się do Adeli:

– A ten mi pasuje?

– Zdecydowanie lepiej. A co z nim?

– Jak odzyska przytomność, to włoży stary płaszcz i wróci na piechotę do pracy. – Ivo dał Adeli kluczyki od alfy i kazał poczekać, aż on z całą obstawą stąd odjedzie. – Spotkamy się w domu za godzinę.

⊰ 6 ⊱

Pociąg i premiera zbliżały się do Warszawy, która była centralna dla wszystkiego, co związane z kulturą i transportem. Ivo był zadowolony. Adela, siedząca obok, również. Mieli wreszcie czas dla siebie, bo ostatnie dni na planie wypełniała wyjątkowo gorączkowa praca. Jechali do Warszawy, aby pojawić się w „Pegazie", stroniącym wprawdzie od komercji, ale postać Dyjmy, którą w redakcji pamiętano jeszcze z czasów ambitnych filmów, oraz ogólne zamieszanie wokół „Zbójców" spowodowały, że wysłali zaproszenie.

– Różnica między Warszawą, a Krakowem jest taka, że mimo wszystko wolę, żeby za oknami mieć dwór, a nie pole – powiedział Ivo. – Tak jest bardziej arystokratycznie.

Nie wiadomo na ile to było świadome, bo Łebski nałykał się atmosfery salonu na Cichej więcej, niż się spodziewał, i ona teraz, w połączeniu z artystowską atmosferą planu, coraz częściej mu się udzielała. Faktem jest, że Adela, słysząc to, poczuła kolejny, silny erotyczny dreszcz i założyła zalotnie włosy za ucho. Bardzo jej się to powiedzenie spodobało i zapamiętała je, aby użyć w odpowiedniej sytuacji towarzyskiej. Oboje zauważyli, że na dworze/polu, generalnie na zewnątrz, pociąg powoli toczył się przez dworzec Warszawa Ochota, żeby zniknąć za moment w podziemiach stolicy. Jaskinia w Lascaux to wybitne malarstwo w porównaniu z tym, czym zamalowane były dworcowe ściany. Smutne spraye układały się w niezrozumiałe napisy, a te zrozumiałe nie nadawały się do powtarzania wśród młodzieży, chociaż ona sama bardzo chętnie je robiła.

Wizyta w „Pegazie" minęła bez większych zgrzytów; w telewizji publicznej byli jeszcze ludzie, którzy mieli poglądy, a nie tylko kredyty. Dyjma okazał się nadzwyczaj przystępnym i czarującym człowiekiem, co odnotowały dnia następnego wszystkie gazety. Ku wielkiemu zaskoczeniu prowadzących „Pegaz" posunął się nawet do strzelania z pistoletu do reflektorów wiszących nad studiem, by zaprezentować jak to będzie wyglądało w filmie. Wszystko naprawdę, nie na żarty. Redaktorzy kryli się za meblami i krzyczeli, żeby przestał, ale zachęcony raczej niż speszony okrzykami oraz taką ilością źródeł światła wokół siebie Dyjma postrzelał sobie jeszcze trochę, między innymi w sposób mistrzowski gasząc czerwoną lampkę na kamerze. Pozbawił w ten sposób „Pegaz" jedynej kompletnej kamery w zestawie, ale wiadomo, sztuka zawsze była niedofinansowana.

Adela była pod coraz większym wrażeniem Łebskiego, które i tak na początku porównywalne było wielkością do eksplozji kambryjskiej. Rzeczywiście Ivo w Warszawie czuł się jak rybak na wodzie. Jeszcze na Centralnym wytargował od kwiaciarki kosz róż, które wręczył Adeli, żeby nie szła tak z pustymi rękami, sam dźwigając jej dwie walizy. Złapał kieszonkowca i oddał turystom znad Bugu ich portfele, z miną tak pogodną i beztroską, że oni sądzili, że to jakaś telewizyjna akcja. Uśmiechali się, nieświadomi sytuacji.

Wieczorem, gdy znaleźli się w mieszkaniu Łebskiego na Mokotowie, na Madalińskiego, wysokim na trzy metry, jednym z niewielu przedwojennych, które przetrwały powstanie, Adela pomyślała, że nie mogłaby nigdy przyprawić temu mężczyźnie rogów, choć z powodzeniem w tak wysokim mieszkaniu by się zmieściły. Inaczej sprawa przedstawiała się już w Krakowie. Znudzona była powierzchownością Dyjmy, jego wąsami, zmierzwioną fryzurą, tym dziwnym doborem odzieży, który nawet pod względem kolorystycznym wywołałby spore zamieszanie na Akademii Plastycznej, słowem miała go dość. Wprawdzie każdego dnia wieczorem z reżysera Dyjmy, jak z obrzydliwej poczwarki, wychodził na świat Ivo Łebski, ten pożądany przez nią mężczyzna, ale niesmak pozostawał. Tutaj prawie cały czas Łebski był Łebskim, oprócz krótkiego epizodu w „Pegazie".

Po kolacji w „Niebieskim Kaktusie" długo jeszcze mieli na ustach smak zupy cytrynowej, kurczaka zapiekanego w bekonie oraz lodów w naleśnikach z polewą czekoladową. Ivo wziął Adelę na spacer parkiem Morskie Oko, przeciągnął po mokotowskiej skarpie, żeby się odpowiednio rozgrzała. I gdy dotarli do mieszkania, Adela była lejąca się jak chiński jedwab. Ivo rozpalił w kominku i straceni byli dla świata na najbliższe godziny.

Po północy Adelę obudziło szuranie butami po sypialni. Otwarła oczy ze zdumieniem. Nad łóżkiem stała kobieta w bieli, z kandelabrem i przyglądała jej się z zainteresowaniem. Ivo chrapał w najlepsze. Szturchnęła go w ramię, ale tylko obrócił się na drugi bok.

– A kysz, maro przeklęta! – powiedziała Adela do zjawy, ale na niewiele się to zdało. Poniekąd większy powód do niepokoju powodowała iluzja odbicia jej twarzy w twarzy tamtej, niż sama obecność kogoś nadprzyrodzonego. Tak, wydawało jej się, że widzi siebie w postaci ducha, a skoro tak, to zjawa nie powinna jej niczego zrobić. W sumie niewiele wiemy o zachowaniu zjaw, ot tyle, co o ptaku dodo. Dedukcja Adeli przebiegła w ten, a nie inny sposób i chociaż niepodobna sprawdzić było przesłanek, czy były dobre czy złe. Ale rzeczywiście duch nie zdradzał żadnych złych zamiarów.

– Czego chcesz? – zjawa jednak nie odpowiedziała. Postawiła kandelabr na szafce obok łóżka i usiadła na jego brzegu. Do tej pory Adela była jak sparaliżowana, ale gdy pani w bieli uczyniła pierwszy krok w stronę łóżka, podniosła się na łokciach i powiedziała jej, że nic dzisiaj z trójkąta nie będzie. Po czasie żałowała tak obcasowego potraktowania przybysza z zaświatów; rzadka to była okazja uprawiać seks z kimś takim. „Czy liczyłby się jako zdrada? Jako prawdziwy trójkąt?". Duch wystraszył się gwałtownej reakcji Adeli i trochę się rozwiał. Ivo znowu obrócił się wokół własnej osi i teraz obie mogły zobaczyć jego nienaprężoną myślami twarz. Adela uległa dziwnemu wrażeniu, że zjawa, patrząc na Łebskiego, zaczyna płakać, ale od tego momentu tamta zaczęła się już dematerializować na całego, coraz bardziej i bardziej... Adela w przypływie współczucia próbowała ją nawet chwycić za rękę, ale na nic zdała się ta próba, bo zjawa już rozpłynęła się w śmiercią zaprawionym powietrzu.

Adela wzdrygnęła się i w tym samym momencie obudził się Ivo.

– Po co nam te świece, kochanie?

– Wyobraź sobie... – streszczenie zaistniałej sytuacji nie zabrało zbyt dużo czasu –...czy to ona, Agata? Czy to, co się stało, miało miejsce tutaj?

Milczenie Łebskiego było bardziej wymowne niż jakakolwiek odpowiedź. Adela wstała z pościeli. Chodziła nerwowo po sypialni, odprowadzana uważnym wzrokiem kochanka, po czym wybiegła. Ivo zerwał się na równe nogi, ale Fajfusówna wróciła do niego ze scenariuszem w ręce.

– Skoro tak się sprawy mają, tylko w jeden, jedyny sposób mogę się pogodzić z jej obecnością tutaj, w postaci ducha albo twojej pamięci. Niech stanie się inspiracją do pracy. Musimy razem poćwiczyć tę scenę w serialu, tak żebym na planie była jak najbardziej wiarygodna.

– Ale to już nie będzie granie, tylko odtwarzanie rzeczywistości.

– Zawsze byłam za Stanisławskim, nie za Brechtem.

„Muszę o tym poczytać" – stwierdził Ivo, po czym, nie wiedząc przeciwko czemu miałby protestować, zgodził się. Przez resztę nocy ćwiczyli scenę zabójstwa bohaterki serialu. Później, na wyczerpaną emocjonalnie Adelę, jeszcze bardziej lejącą się niż po spacerze Morskim Okiem, Ivo spadł niczym komin fabryczny na ziemię. Adela oświadczyła po wszystkim, że czegoś takiego jeszcze w ży-

ciu nie przeżyła, ale więcej w tym mieszkaniu prze-
bywać nie będzie.

Drogę powrotną przebyli w trzy godziny, po-
ciągiem, bo alfa stała u blacharza. Z dworca – na
plan. I od razu zaczęła się karuzela. Cały zespół starał się jak na akademii pierwszaków. Oświetleniow-
cy palili na całego, dźwiękowcy ze spółgłosek bez-
dźwięcznych wyciągali co się da, a stylistki nie tylko
kręciły tyłkami. Aktorzy grali każdą częścią ciała,
co zdecydowanie odróżniało „Zbójców" od innych
polskich seriali, gdzie grało się nazwiskiem. Reżyser to siedział na krzesełku i robił klatki z palców,
to kręcił się po planie i robił uwagi; kret w zago-
nie marchewek. Udoskonalał, dopieszczał, chwalił, czasem krzyknął. Producenci po konsultacji
z radą nadzorczą zakładów tłuszczowych, zadowoleni z postępów prac nad serialem, pozwolili nawet
wyprowadzić aktorów w miasto. Wprawdzie wypadło drożej, ale ta rewelacyjna scena, podczas której
gangsterskie porachunki kręcone były nie w deko-
racjach, a w plenerze, wypadła nadzwyczaj naturalnie. Działo się to tuż obok Rynku, na św. Anny,
w restauracji „Soprano". Pirotechnicy spisali się
świetnie, a tamtejszy kucharz, w przypływie eufo-
rii, jakiej ludzie ulegają, widząc strażaków, wojsko
czy ekipę filmową podczas pracy, i gotowi są wtedy na naprawdę wielkie poświęcenia, wytworzył

na zapleczu taką ilość dymu z patelni z akcentami czerwieni, że na zdjęciach wszystko wypadło jak naprawdę ostra strzelanina. W tej scenie gangsterzy uciekali drugim wejściem, od strony Jagiellońskiej. Łebski nie wspomniał nawet o tym Racuchowi, licząc na naturalistyczny efekt. I nie przeliczył się, bo kadry wypadły wyśmienicie.

– Uciekli! Oni naprawdę uciekli! – krzyczał aktor, stojąc na potłuczonej zastawie i krztusząc się od kuchennego dymu. – A już ich miałem!

– Spokojnie, spokojnie – Ivo podszedł do Racucha, poklepał go po plecach i wytłumaczył, na czym polegał podstęp. Nie obyło się bez kolejnych ironicznych komentarzy pod adresem następcy Rozmaryna, ale w gruncie rzeczy wszyscy gratulowali mu dobrego ujęcia.

Był jeden nieprzyjemny zgrzyt. Z kasy zniknęło 700 złotych. Wieczorem widziano Racucha, jak namiętnie grał w black jacka w kasynie w Novotelu, płacąc śmierdzącymi olejem banknotami. Nikt jednak nie chciał połączyć tych dwóch faktów. Po kątach ubolewano jedynie, że koniec jest zawsze taki sam w przypadku pewnego typu aktorstwa sensacyjnego. „On też? Rozmi przecież tak głupio skończył".

Adela też przeżywała napięcie przed kończącym klapsem. O ile w przypadku jej kolegów i koleżanek, których euforia rosła na samą myśl o wyjeździe z Krakowa i pieniądzach na koncie, ona wykazywała nerwowość idącą w stronę przygnębienia. Ivo miał z tego powodu same przyjemności, bo, dziwna rzecz, zdenerwowanie przeniosło się na rozmiar biustu Adeli; znacznie się zwiększył. Inaczej na tę sprawę patrzyła jej najbliższa przyjaciółka, charakteryzatorka. Sądziła, że Adela zaszła w ciążę i aby ją wybadać w najdelikatniejszy z możliwych sposobów, postanowiła wziąć ją na zakupy. Przy okazji Adela mogłaby odreagować stres. Pojechały, przebierały, plotkowały, kupowały w Galerii Krakowskiej co się dało i za ile kazali, po czym Adela pojawiła się w przyczepie z bliżej nieokreśloną ilością siatek, toreb, pakunków, usiadła na kanapie i rozpłakała się. Łebski nie miał pojęcia, co wytrąciło jego przyjaciółkę z równowagi, a ona sama nie chciała nic powiedzieć.

– Skończyły ci się pieniądze? Nie było twojego rozmiaru żakietu? Albo butów w kolorze? – Adela płakała nadal, kręcąc głową jak mała dziewczynka, która musi iść do dentysty. – To może nie dali ci zniżki za zakupy powyżej pięciu tysięcy?

Każde pytanie Łebskiego spotykało się tylko z odmową i jeszcze większymi łzami. Rezolutnie wycofał się do kuchni, gdzie zrzuciwszy szybko przebranie Dyjmy, które krępowało ruchy, zajął się kolacją.

Zapłonęły świece, Adela pod wpływem czerwonego wina stała się bardziej rozmowna. Rozpięła nawet bluzkę w taki sposób, że Łebski poplamił się sosem. Wyglądało na to, że Fajfusówna złapała wreszcie wewnętrzną równowagę i była gotowa na rozmowę.

I rzeczywiście, wszystko szło doskonale. Adela zdała mu relację z pobytu w Galerii, czemu Ivo przysłuchiwał się, z trudem kryjąc ziewanie. Pokazała co kupiła i co będzie musiała pojechać wymienić, bo przestało się jej podobać. Ivo ratował się burbonem.

Wybiła północ i właściwie trzeba było się już kłaść spać, bo zdjęcia zaczynały się o szóstej, ale Adela gadała dalej.

– Kochanie, ty śpisz? – Ivo otworzył oczy. – Tak, zdrzemnąłem się, możesz zrobić mi kawy?

– Nie będzie ci potrzebna – oświadczyła. Rzeczywiście, atmosfera w przyczepie stała się od razu bardziej ożywiona, gdy aktorka zakomunikowała mu, że usunęła ze scenariusza scenę, w której główny bohater zabijał kochankę – zdrajczynię i ją zjada.

– Scenę, którą razem odgrywaliśmy u mnie w Warszawie?

Adela obróciła się plecami i powiedziała, że za żadne skarby jej nie zagra. Nie po to są razem, żeby przez głupi scenariusz niszczyć związek.

Łebski właściwie nie potrafił znaleźć żadnego argumentu, dla którego sztuka miałaby ustępować przed życiem, oprócz tego, że:

– Ależ pysiu, niczego nie zniszczysz. Pomyśl, to raczej nas wzmocni. Zadziała holistycznie, w duchu newage, jak homeopatia.

– Homo- co? – Adela w kolejnej fali rozemocjonowania albo nie dosłyszała, albo nie mogła zrozumieć, o czym mówi Łebski. – Nie rozumiem, co ma wspólnego homoseksualizm z naszym związkiem?

Ivo sięgał po ostatnią deskę ratunku. Oczami wyobraźni widział katastrofę całego serialu.

– Jeżeli tak zrobisz, to pogrzebiesz całą dotychczasową pracę. Już nawet nie swoją, albo naszej dwójki, co całego zespołu. To będzie twój koniec, nikt ci nie da później roli.

– A ty nie będziesz mnie utrzymywał?

– Jesteś aktorką, nie wytrzymasz w domu, w kuchni, z dziećmi, z prasowaniem, układaniem słoników na półkach, bo jak rozumiem, bierzesz pod uwagę taką ewentualność.

– Przecież kiedyś będę musiała tego spróbować.

– Słoniki cię pożrą. Albo inne zwierzęta ze sklepów dekoratorskich.

Adela zamilkła, jakby przeczytała celną recenzję.

– Nie interesuje mnie opinia ogółu, mam pieniądze i talent, nic mi nie zrobią. Zatrudnię się w innym serialu.

– Nikt cię nie weźmie.

– Dlaczego tak do mnie mówisz, zapomniałeś, kto cię wylansował?

– Rabarbar Dyjma sam się wykreował, dawno temu.

– Ale ty nim nie jesteś.

– Tutaj jestem, ktoś musiał wziąć odpowiedzialność za losy tego serialu. – Ivo był tak poważny, jak portrety przywódców wiszące na pocztach. – Teraz cię proszę, żebyś nie zachowywała się jak rozkapryszona gwiazda, tylko dorosły człowiek, i zwróciła kartki ze scenariusza z wiadomą sceną.

Ryk w przyczepie poluzował wszystkie nity, więc Łebski poczuł, jak ziemia osuwa mu się pod stopami. Podszedł do Adeli i chwycił ją mocno, mimo że się wyrywała. Przez długą chwilę jej ciałem targała artystyczna apopleksja, aż wreszcie uspokoiła się, poprosiła, żeby wyszli razem na pole/dwór, czy jak tam chcieli, i kilka kroków od przyczepy szybko zwymiotowała kolację przygotowaną przez Łebskiego, a zaraz za nią wiadome strony.

Nudności nie opuściły Adeli szybko. Na dodatek znowu miała złe sny. Pojawiły się też problemy w jej relacjach z serialowym partnerem, w czym niemałą rolę odegrała prasa. „Express" zastanawiał się nad numerem na koszulce, w której powi-

nien wejść Racuch do sypialni Fajfusówny. 676 czy
677?. A połechtany bulwarową popularnością, aktor zaczął układać swoje scenariusze, zupełnie nie-
przystające do obowiązującego.

– Czy nie widzisz, jak on na mnie patrzy? –
skarżyła się Adela Łebskiemu. I rzeczywiście miała
powody do obaw.

Racuch żył w dwóch światach. W rzeczywistym
świecie aktorskiej harówki, gdzie niewiele znaczył
w oczach doświadczonych kolegów, oraz świecie-
-mirażu zainteresowania jego osobą, rozdmucha-
nego na potrzeby komercji. Po kątach słyszał, jak
śmiali się z niego i kpili, ale idąc ulicami Krakowa,
był już rozpoznawany przez młode kobiety i od-
prowadzany ich tęsknym wzrokiem. Napięcie pomiędzy tymi dwoma światami zaprowadziło go do
kasyna, gdzie badał nie tylko różnice między szto-
nem i żetonem. Do przepoconych dyskotek peł-
nych bladych studentek, szukających zakonników
na gigancie i prawdziwych erotycznych przygód lub
innych symptomów interwału w sesji. Do zatło-
czonych kawiarni krakowskiego Kazimierza, gdzie
znad piwa z sokiem parowały kazuistyka oraz jan-
senizm i tłoczył się pod nieśmiało oświetlonym sufitem papierosowy dym, szczelny i gryzący w oczy.
Oraz w kierunku Jędrzejowa. Dlaczego tam? Czysty przypadek, bo przecież nie organiczna chęć od-
wiedzenia arcyciekawego Muzeum Przypkowskich

w jędrzejowskim Rynku, z rzadką kolekcją zegarów słonecznych. Jeździł krajową „siódemką" bez celu, tam i nazad, w szaleńczym pędzie, niepotrzebnie zbierając punkty na fotoradarach, gnając na złamanie karku, jakby chciał zagłuszyć te wszystkie wyjące sprzeczności, które zalęgły się w jego niedoświadczonej, młodej duszy, niczym dinozaury na granicy prehistorycznego klifu. Żerowały tam na sobie i nie dawały spokoju. Wszystko to było z jednej strony kuszące i kolorowe, z drugiej straszne i krótkowzroczne, jakby już zza lasu wyłaniała się jakaś gigantyczna katastrofa na miarę erupcji Wyziewiusza lub jakiegokolwiek innego wulkanu.

Kiedyś Łebski widział jak w przerwie zdjęciowej wyjął z bagażnika samochodu siekierę.

– Po co ona panu?

– Ach, tak tylko kupiłem, bo mi się podobała – odparł i zmieszany ominął Łebskiego. Ivo zauważył, że narzędzie miało ślady użycia.

Zaniepokojony poszedł za nim i odkrył, że młody aktor ścina drzewa w lesie, trzysta metrów za planem zdjęciowym. Pomyślał od razu o karach z Zieleni Miejskiej, które mogłyby obciążyć budżet serialu. Ale skoro w ten sposób Racuch odreagowywał sytuację, w której się znalazł, dlaczego mu nie pozwolić na tę robinsonadę? „Tratwy z tego nie zbuduje, bo nie ma jak stąd popłynąć, więc po co interweniować?" – pomyślał wtedy.

– Dobrze, będę miał na niego oko – odparł Ivo i pocałował w czoło Adelę.

Adela przyglądała się Łebskiemu ze zdumieniem, bo nawet podczas śniadania robił klatkę z palców i obserwował świat okiem kamery.

Ustawiał na skromnym stoliku wewnątrz przyczepy musztardy i majonezy w kompozycje śniadaniowe i mówił, że tak by je skręcił w reklamach. Adela z odcieniem rozczarowania przyjęła fakt, że dawny Łebski stawał się coraz bardziej Dyjmą. Problemy z jego poprzedniego życia ustąpiły miejsca zagadnieniom estetycznym: jak długie ma być ujęcie, jaki rodzaj światła, jak mają grać aktorzy?

Doszło nawet do tego, że podczas któregoś ze śniadań, gdy Ivo ustawiał słoik miodu tak, aby światło słoneczne odbijało się od litery „ó" na etykiecie, powiedziała do niego:

– Ależ Rabarbarze, daj już spokój z tym kręceniem na sucho. To do niczego nie prowadzi.

Oboje zawiesili na sobie spojrzenia. Czyli, doszło już do tego, że ona w nim widziała tamtego, a nie jego samego. Ivo zażartował z zaistniałej sytuacji, na poważnie biorąc coś innego. Że zdarzenia w serialu miały się do jego historii jak 1:1. To właściwie było dla niego najważniejsze. Podczas przeglądania nakręconych materiałów oglądał coś jakby film o sobie i znajdował się w stanie wstrząśnienia. Mało kto miał szansę na taką kolaudację.

Nic dziwnego, że wiele czasu wieczorami zajmowało mu podjęcie decyzji, co do której nie miał jeszcze przekonania. Ale im dłużej przebywał na planie, im bardziej był chwalony, tym pewniej się czuł, ilekroć brał słuchawkę do ucha z zamiarem odbycia tej ważnej, rozstrzygającej rozmowy. Zaraz ją jednak odkładał. W ostatnim momencie coś go wstrzymywało. Wreszcie pomógł przypadek.

– To od ciebie ten dyktafon? – spytał Rutynny.

– Tak. Miej go jako dowód w sprawie. Lada dzień powinieneś też dostać poleconym moją odznakę.

– Co?! Chcesz mi powiedzieć, że rezygnujesz?

– Postanowiłem zostać reżyserem. Wiesz, świetnie mi idzie. Tutaj wszyscy mnie chwalą. Ta robota jest o wiele przyjemniejsza niż bycie gliną. I gdy wreszcie ujawnię, kim jestem, to zacznę sporo zarabiać. Teraz działam jako Dyjma... – Łebski mógłby tak jeszcze długo, gdyby Rytynny nie wrzasnął do słuchawki:

– Mięso, ja nie wytrzymam! Co tam się dzieje!? – wściekle zmiął jakieś papiery na biurku. – Jakim reżyserem?

– Nie chcę już być policjantem. Po prostu mam dość. Ten świat jest ciekawszy. Ładne aktorki, czyste samochody, atrapy izraelskich pistoletów. Jako filmowiec nie mam większego stresu z łapaniem bandytów, bo oni na końcu i tak idą do więzienia.

– Stop! Nie mam najmniejszej ochoty tego słuchać! Jesteś moim podwładnym, oficerem Policji Rzeczypospolitej Polskiej, a nie jakimś Dyjmą, Spielbergiem czy innym celuloidowym gogusiem!

– Jeśli już chcesz wiedzieć, to obecnie kręcimy nie na taśmie, tylko kamerami cyfrowymi. Pełna elektronika.

Rutynny nie mógł uwierzyć, że ta rozmowa odbywa się naprawdę. Jego najlepszy policjant zostaje reżyserem filmowym! Jak w przyśpieszonym filmie przeleciały mu przed oczami wypadki ostatnich tygodni. Może nie powinien wysyłać tam Łebskiego? „Pojechał do dziwnego miasta, przebywał wśród dziwnych ludzi, no i stało się. Ale przecież to był taki twardy gość!". Przypomniał sobie, co powiedział do niego sam Łebski. Kraków – miasto magiczne. Czyżby?"

– Jesteś pijany. Jak wytrzeźwiejesz, zadzwoń do mnie. Rozmowę uważam za niebyłą i nie będę wyciągał z niej konsekwencji służbowych. – Rutynny przerwał połączenie i podszedł do okna. Spojrzał na podwórko komendy. Znowu z radiowozu wyprowadzali tego samego menela, długowłosego mężczyznę w dresie, co podczas ostatniego spotkania z Łebskim, tu, w tym gabinecie, na krótko przed delegacją do Krakowa. Gwałtownie otworzył okno i wrzasnął w dół:

– A może ja też założę tu wytwórnię filmową
i zostaniesz gwiazdą najnowszego polskiego serialu?! – Eskortujący policjanci i przestępca spojrzeli
zdziwieni w górę. – Tak, do ciebie mówię! – Menel
stał i uśmiechał się głupio. Może nawet miałby na
to ochotę? Eskorta popchnęła go dalej, starając się
nie zwracać uwagi na wyraźnie wytrąconego z równowagi zwierzchnika. – I natychmiast umyć ten radiowóz, żeby był jak w filmie!

Rozpędzony filmowy saab przebił się przez za-
słonę z dymu. Przejechał przez upozorowane miejsce wypadku i jechał dalej. Tą samą drogą podążał
radiowóz na sygnale, a za nim jeszcze dwa. Saaba
prowadził Racuch, starając się uciec przed wyima-
ginowanym pościgiem. Rozpędzone auta błyskały
kogutami, aż wreszcie zaczęły zwalniać i zatrzyma-
ły się daleko poza kadrem.
    – Dobrze, jeszcze jeden dubel i kończymy – po-
wiedział Ivo.
    Wózek kamery wrócił na miejsce, kaskade-
rzy schowali się z powrotem w sztucznym dymie,
a makiety innych, rozbitych pojazdów podlano
znowu środkiem łatwopalnym.
    – Cisza na planie. Kamera, akcja!
    Wózek kamerzysty znowu zafurkotał wzdłuż
drogi razem z rozpędzonymi samochodami. Jeden, drugi, trzeci. Wszystkie na sygnale. Ale zaraz

po nich, z zasłony dymnej wyjechał kolejny radiowóz. Wszyscy spojrzeli po sobie zdziwieni. Zaskoczenie było tym większe, że ten jeden, nadliczbo-
wy, otwierał kolumnę kolejnych.

– Co to ma znaczyć, do cholery?! – Łebski skoczył na równe nogi i zaczął wrzeszczeć do megafo-
nu: – Po co mi taka frekwencja na planie?! Miały
być tylko trzy radiowozy!

Nie on jeden nie wiedział, co się dzieje. Po kilkunastu sekundach ekipa przyglądała się całej ko-
lumnie niebieskich volkswagenów, które wpadły
niespodziewanie na plan. I wyglądało na to, że są
prawdziwe, policyjne. Łebski przyłożył lornetkę do
oczu i tak, jak się spodziewał, w jednym z nieproszonych samochodów zobaczył Nawałę. „A więc
w końcu przyjechał tu służbowo, po mnie, a nie do
Adeli". Odkleił sztuczne wąsy, zdjął perukę, zrzucił
ohydną marynarkę Dyjmy i powiedział zaskoczo-
nym filmowcom: „Dziękuję, to było coś!". Po czym
zaczął ewakuować się w stronę lasu.

Ekipie opadły szczęki. Niektórzy rozpoznali
w nim od razu komisarza Łebskiego, inni dopyty-
wali się, kim naprawdę był ich reżyser, skoro nie
Dyjmą. Ale nie było czasu na konferencję prasową,
tylko na ratunek.

Radiowozy prawdziwej policji nagle skręci-
ły w bok, w kierunku uciekającej postaci i grupy
filmowców, z której wybiegła. Kawalkada sunę-

ła wprost na nich, ale czy przez nieumiejętność, czy nieuwagę kierowcy, spowodowaną grupą wysportowanych młodych statystek stojących w pobliżu, pierwszy z samochodów wpadł w poślizg i dachując, wylądował wśród palących się wraków. Huk poszedł na cały plac. Nie dość na tym. Jak na specjalne zamówienie drugi z pościgu zrobił to samo – najechał na przewrócony radiowóz, a snujący się po planie dym nie ułatwiał manewrowania. W efekcie czego samochody krakowskiej policji zaczęły na siebie wpadać jeden po drugim.

Łebski, słysząc huk gniecionej blachy, zatrzymał się, odwrócił i zobaczył, co się dzieje.

– Jak w amerykańskich superprodukcjach! – krzyknął i natychmiast wrócił do kamery. Był zaskoczony, że budżetówka dała mu możliwość nakręcenia większej sztuki.

– Kręcić! Kamera, akcja, akcja! Ale akcja!

Kiedy było już po wszystkim i opadł bitewny kurz, szybkim krokiem poszedł do przyczepy Adeli, żeby się pożegnać.

– Widziałam wszystko.

– Chyba nie dokończę tego filmu.

– Widocznie nie jest ci to dane. Jesteś w końcu gliniarzem.

I powiem ci, że bardziej taki mi się podobasz.

– A tak chciałem być filmowcem! Macie świetny zawód. Domyślasz się – kto?

– Kto cię zdradził? Chyba ten twój zwierzchnik z Warszawy, Rutynny.

– Pytałem o to, kto pisał anonimy.

– Ja mam wiedzieć? – zrobiła zaskoczoną minę.

Ivo milczał.

– Wydaje mi się, że wiesz, tylko nie chcesz powiedzieć.

– Zupełnie nie rozumiem, o co ci teraz chodzi. – Odwróciła głowę w kierunku planu i widząc prawdziwych policjantów kończących zbieranie guzików z mundurów, zwróciła się do Łebskiego:

– Teraz już musisz iść!

– No cóż, trudno. Przynajmniej nie zginiesz pod moją ręką – oboje wiedzieli, że film zostanie dokończony, choć już bez udziału Łebskiego.

– Może to i lepiej? – podniosła na niego najsmutniejsze oczy świata i milczała.

– Kiedy cię zobaczę?

– Będę czekała na ciebie jutro, w przyczepie o 22.00. A teraz znikaj, bo robi się gorąco.

Następnego dnia gazety wrzały. Znikanie ludzi w obsadzie „Zbójców" pomnożone było przez kolejną awanturę w kasynie Novotelu, w której główna rola przypadła Racuchowi. W rzeczywistości poszło o drinka, którego wylał na stół do black jacka i nie chciał partycypować w kosztach. Do tego doszły spektakularna ucieczka podstawionego reżysera, blamaż krakowskiej policji niepotrafiącej jeździć w poślizgach i generalnie kładące się złą sławą na jej opinii bankructwo pomysłów Nawały, oraz co gorsza, pogłębiające chaos ich realizacji w terenie – o tym czytał Kraków jadący do pracy.

Producent wykonawczy uratował sytuację. W porozumieniu z zakładami tłuszczowymi jeszcze na długo przed końcem zdjęć postanowił wciągnąć Adelę w akcję charytatywną przy Bramie Floriańskiej i około południa ostatniego dnia zdjęć miała się tam pojawić z puszką na pieniądze dla fundacji wspomagającej uzdolnione dzieci. Nie można było trafić lepiej. Ta akcja uratowała serial przed promocyjną klęską.

Widząc Adelę Fajfusównę w otoczeniu dziennikarzy, wielbicieli, dzieciaków z pędzlami wystającymi z tornistrów, handlarze okupujący mury Baszty Floriańskiej zakrywali pośpiesznie wszystkie „Zachody słońca", „Konie w galopie", „Julie na polanach", „Wiatraki nad jeziorem", jakich bezwstydny iloczyn zwisał o każdej porze dnia z wiekowego budulca, i zasłaniając twarze przed kamerami telewizji pierzchali na boki. Jednak nie tak łatwo było rozstać się z ogromem kiczu zawieszonego na murach. Jeden z handlarzy obłudnie udawał, że „Akt w dąbrowie" nie należy do niego, tylko do kogoś innego, który poszedł na kebab, a „on tylko pilnuje". Podobnie jak „Martwej natury z żywą pliszką" i innych interesujących przykładów malarstwa atelierowego, aktywnie konkurującego z przeintelektualizowaną i okropnie drogą sztuką z kręgu Akademii i Bunkra Sztuki. Adela nawet podeszła do jednego z panów pakujących te obrazy, żywo zainteresowana kupieniem odważnej rekompozycji słynnych „Słoneczników" van Gogha, ale pan ów potraktował jej propozycję jako kpinę i zatrzasnąwszy bagażnik kombi odjechał, klnąc pod nosem na parszywy utarg.

Ivo Łebski, który o obecności Adeli na Floriańskiej dowiedział się rano z radia, też postanowił dołączyć do hojnych krakowian. I nawet wrzucił do jednej z puszek 100 złotych, za co został podrzucony do góry przez kwestujących z głośnym „hip hip hurra!". Nie była mu na rękę dekonspiracja, więc natychmiast rzucił się w sztukę zawieszoną na bramie i sprytnie ukrył w obrazie „Jeleń w szuwarach". Pewnie byłby tam przesiedział do końca akcji, gdyby nie handlarz zwijający interes. Obraz wydał mu się o wiele za ciężki podczas zdejmowania z haka, a po kilku próbach dźwignięcia go, wypadł z niego przemoczony Łebski.

– A pan kto jesteś?

– Leśniczy – odparł bez namysłu. – Jeleń był namalowany nielegalnie. Powinna być kara.

Ale nie było czasu na egzekwowanie należności. Ivo wbiegł do hotelu naprzeciwko, poprosił obsługę o wysuszenie i wyprasowanie, stracił kolejną stówę, ale w kilkanaście minut później z powrotem stał na Floriańskiej.

Właściwie było już po wszystkim i tylko przez tę odrobinę szczęścia, którą dostajemy od losu, gdy sytuacja wydaje się już przegrana, Ivo dostrzegł kapelusz kochanki kołyszący się ponad głowami przechodniów. Ruszył za nią. Miał niejasne przeczucie, że Adeli coś grozi. Dlatego ją obserwował, nie śledził. To była różnica.

Szła skosem przez Rynek, akurat pusty o tej porze dnia, więc Ivo był wystawiony na jej spojrzenie. I nawet przystanęła na chwilę, grzebiąc w torebce, a lusterko, które wyciągnęła z torebki wraz ze szminką, oślepiło na moment Łebskiego. Czyżby został zauważony? Wskoczył od razu do przejeżdżającej nieopodal rikszy. Zdziwiony rikszarz zaprotestował, bo na kanapie siedziało holenderskie małżeństwo. Dostał dwadzieścia złotych w usta, więc się uspokoił, a Holendrzy po szturchnięciu w bok posunęli się grzecznie. Zresztą niechciany pasażer zaraz ich opuścił. Pojazd skręcił w św. Jana, a Ivo, nadrabiając biegiem przyprostokątne trójkąta równobocznego tworzonego przez ścianę Rynku A—B i B—C, zastanawiał się, gdzie, poruszając się po przeciwprostokątnej A—C, jest już Adela. Niestety, gdy dobiegł do św. Anny, a więc na drugą stronę Rynku nie zauważył jej kwadratowego kapelusza, ostatniego krzyku mody i tylko hejnał zagrał mu z wieży; odbity od fasad kamienic, zaklęty na wieki w kamiennym prostokącie, gołębi śpiew.

Co to za ptaki, co nie robią gniazd? Ach, te głębokie popołudnia w przegorzalskim gnieździe! Na wzgórzu jak połowa arbuza usadowiła się ta stara forteca, o grubych, białych, wapiennych murach. Po zboczu obróconym w kierunku rzecznej doliny spadały w dół brzozy i świerki, wśród których furkotała zapodziana reklamówka; w końcu do miasta stąd było niedaleko. Stromizna zachęcała, żeby wychylić się dalej, w gąszcz krzewów i dzikiej trawy, i wzrokiem jedynie błądzić tam, gdzie noga ludzka nie postałaby długo. Kamień rzucony w naszym imieniu w tę szorstką pochyłość staczał się w dół wesołymi skokami, znacząc niemożliwą dla człowieka trajektorię. Wróble furkotały w jarzębinie, błysnął w gęstwinie późny kwiat, zaszumiały gałęzie. Na lewo było miasto. Małe, przewidywalne, kwadratowe. Wawel ukrył się za skrzydłem budowli. Po prawej dosłownie bieliła się bryła klasztoru kamedułów na Bielanach, niewzruszenie panując nad bliźniaczym wzgórzem. A w łagodnych grzbietach lasu pokrywającego okolicę drzemały jakieś nawoływania, piski, samochodowy warkot. Jednak to, co najciekawsze, leżało jak na tacy poniżej. Lśniła tam wąska wstęga Wisły. Jej leniwy grzbiet przeciągał się w słońcu, które za chwilę miały dopaść chmury popychane zachodnim wiatrem. Światło odbijało się od powierzchni wody, napełniając cały krajobraz cichym brzękiem, jakby cienkie, złote blaszki, zrodzone ze słońca opadały na ziemię. Ten jednak, kto chciałby je posiąść, czułby się rozczarowany. Topiły się w zetknięciu z gruntem, pozostawiając po sobie jedynie ulotne ciepło jesieni w przekwicie – drżące, niespokojne, nietrwałe.

Właściwie Ivo miał niewielkie szanse, żeby odnieść się do tego spektaklu natury na Przegorzałach. Jeszcze poprzedniego dnia zainstalował się w Domu Gościnnym UJ. Nie prowadził żadnej działalności naukowej. Chociaż, na upartego, jego praca też polegała na szukaniu dowodów. Raczej nie przebywał w pokoju. A jeśli już, to zasłaniał się od świata szczelnie, chcąc uniknąć kłopotów. Na oknie leżał odbezpieczony pistolet, świece dymne były w pogotowiu i co jakiś czas penetrował teren w dole przez lornetkę, spodziewając się, że mogą go od tej strony podejść.

Podejście Antylopy do biznesu polegało na zupełnym braku zaufania do kontrahentów. Adela zaimponowała mu więc, gdy zachowała się podobnie jak on i nie wzięła ze sobą przedmiotu wymiany, czyli pieniędzy. On ze swej strony obiecał jej obraz.

– Chciałam się upewnić, że traktujesz mnie poważnie. Że przyjdziesz na spotkanie. Ostatnio w mieście jest dość gorąco.

Spotkanie Adeli z Antylopą odbyło się tym razem w barze kawowym „Mozaika" na Gołębiej, gdzie za chłodniczą ladą dogorywała galaretka wspomnień z PRL-u. Perwersyjne to było ze strony Antylopy ciągnąć Adelę w te cementowe mozaiki i wysłużone, metalowe krzesełka oraz stoliki z betonowymi blatami, przesuwanymi ze zgrzytem po wysłużonej terakocie. Miejsce było dziwaczne jak piwo w tamtych czasach, zadymione, ale celowo małe, aby uniknąć operacyjnej obserwacji przez siły nieprzychylne Antylopie.

– W sumie dobrze zrobiłaś, że nie wzięłaś pieniędzy. Jak widzisz, jestem nieprzygotowany do wymiany. – Adela nadal była nieufna. – Proponuję więc tak, jak ostatnim razem. Wynajmę pokój w Willi Decjusza na całą noc i...

– Nie, nic z tego już nie będzie. Spotkajmy się dziś wieczorem tam, gdzie za pierwszym razem. W kościele.

– Zapraszasz mnie przed ołtarz? – zaśmiał się obleśnie, po czym zgasił fajkę plunięciem w cybuch. – No dobrze, czas na mnie. Aha, pamiętaj, jeśli przyciągniesz ze sobą jakiś ogon, to o wszystkim, co było między nami, gazety dowiedzą się następnego dnia.

Adela zacisnęła usta i z tą miną, bez słowa podniosła się z miejsca i opuściła lokal. Na ulicy wyciągnęła komórkę i wykręciła dwa numery. Pierwszy po taksówkę, drugi do Ivo Łebskiego.

Ivo trzasnął drzwiami alfy. Jej bok lśnił nowym lakierem. Znalazł się na Plantach. Mgła podnosiła się ku górze, stała w miejscu, opadała. Nieprzeniknione kłęby tasowały się i pozornie ustępowały przed wzrokiem idącego, bo z każdym kolejnym krokiem wielkie, wybujałe obłoki, które wepchały się między drzewa, ławki, mury, zagradzały drogę. Światło latarni wydawało się galaretowatą, zimną masą, przez którą trzeba się było przebijać z maczetą. Nie tylko tu, także przy Błoniach, nad Wisłą, nawet w Rynku wielkie, białe bałwany otuliły szczelnie wszystko. Z wilgotnej kurtyny co krok wyłaniały się postacie przechodniów i zaraz znikały, zapadając się w białą zupę. Lekki przymrozek ściął kałuże zmieszane z liśćmi i pod stopami chrzęścił cienki lód. Ivo miał wrażenie, że ten porcelanowy dywan, który poddawał się jego podeszwom, był czymś żywym, że szedł po oczach homarów, rzuconych mu pod nogi dziwnym trafem. Od ulicy dochodził dźwięk silników. Jakby w mlecznej pułapce utknął legendarny smok i teraz groźnie mruczał, czekając na sposobność wyrwania się z wnyków.

Gdy wyszedł z Zaułka Niewiernego Tomasza i spojrzał w głąb ulicy św. Jana, kościoła, do którego zmierzał, nie było. W pierwszej chwili pomyślał, że Antylopa dotrzymał rzuconego słowa i udało mu się ukraść świątynię. Ale gdy zbliżył się do barokowej fasady, kościół Pijarów ciągle tam stał. Zaskrzypiała ciężka furta.

Do spotkania Antylopy z Adelą pozostały jeszcze dwie godziny. Ivo przyszedł na miejsce wcześniej, żeby się dobrze ukryć. Spojrzał na konfesjonał. Pomyślał, że przedstawi łagodnie nie tyle swoje grzechy, co prośbę o schronienie.

Brat spowiednik widział jednak problem w tym, że będzie musiał się posunąć w konfesjonale i chciał nawet głośno zaprotestować. Opadł jednak na dno pod wpływem środka, który Ivo podał mu na chusteczce. Łebski przebrał się w strój zakonnika, nogi oparł na otyłym ciele i właściwie był z siebie niezmiernie zadowolony. Do tego stopnia, że wychylił się z konfesjonału i zaczął podziwiać piękne, barokowe malowidła na ścianach. Od gwizdania się wstrzymał. Wzrok błądził po szczegółach bogatego ornamentu najpierw nieśmiało, ale później już z rozmachem, z rozkoszą, jaka ogarnia pojedynczą, chrześcijańską duszę wobec ogromu łaski talentu spływającego na artystę o takim pędzlu. Jednak po dłuższej chwili Ivo doznał optycznego znużenia, przeciążenia freskiem, zakręciło mu się w głowie, więc wycofał się z powrotem do konfesjonału.

W ten sposób, zupełnie niechcący, i zupełnie nie zdając sobie z tego sprawy, odkrył największą słabość barokowej sztuki – konieczność stworzenia jedności w jej przebogatym pięknie, które rozpływało się w nadmiernie zatomizowanej strukturze. Niczego innego niż połączeń *stricte* malarskich pomiędzy jej elementami ludzie baroku nie wymyślili. Brak spójności rozsadzał całość od środka, ale zaskakująca, malarska dyscyplina trzymała na postronku każdy szczegół. Ot, piękny paradoks. Malarska linia wiła się od postaci do postaci, między ornamentem i pigmentem w nieprzerwanym ciągu, by zgubić się w perspektywicznie skrojonym ołtarzu, hen, tam, w malarskim przedstawieniu raju, przekładającym się na figurę myślową.

Ivo wyjął kanapkę spod sutanny, którą odkrył w jej kieszeni i dopiero pod koniec konsumpcji pomyślał, żeby pomodlić się o to, aby nikt nie przyszedł do spowiedzi.

Od ścian ciemnego, pustego kościoła odbijały się kroki idącego do spowiedzi *człowieka*. A jednak! Ivo naciągnął głębiej na głowę mnisi kaptur i wziął różaniec między palce. Kroki zbliżały się wyraźnie w jego kierunku. Mężczyzna, który uklęknął o kilkanaście centymetrów od Łebskiego, pachniał wodą toaletową i dobrym tytoniem.

Chciał, nie chciał, zaczęła się spowiedź. Z początku Ivo martwił się głównie tym, żeby prawdziwy spowiednik nie ocknął się i na wszelki wypadek jeszcze raz podłożył mu pod nos nasenną chusteczkę. Ale w miarę, gdy grzechy spowiadającego się wychodziły na jaw, zainteresowanie Łebskiego rosło.

– Od jak dawna jesteś złodziejem i oszustem?

– Przecież już bratu mówiłem, że nie pamiętam. Najgorsze jest to, że nie mogę przestać.

– Jeżeli nie wzbudzisz w sercu prawdziwego żalu za grzechy, nic z tego nie będzie.

– Ależ ja żałuję. Tylko z czego mam się utrzymywać? Przecież robię to od zawsze.

– Synu, podstawą rozgrzeszenia jest zrozumienie winy, żal i obietnica poprawy. – Ivo sam był zaskoczony swoją misyjną elokwencją. Ale przecież w umyśle ludzkim drzemały takie pokłady myśli, że nawet Aborygen z dzidą, znajdując na plaży zegarek, wiedziałby, do czego służy. Wystarczyło tylko zapytać się, która jest godzina, i pomyśleć.

– Wiem, wiem. Ale to silniejsze ode mnie. Zresztą, nie ma w Krakowie genialniejszego złodzieja niż ja. Czy Bóg to też dostrzega?

– Dostrzega wszystko. Także to, że przemawia przez ciebie pycha.

Powiadam ci, nie kpij ze świętej spowiedzi, bo niezbadane są wyroki opatrzności.

– Wybacz ojcze.

Ivo nie miał wątpliwości. Siedział obok poszukiwanego przez siebie i policję Antylopy. Spodziewał się, że spotkanie w kościele nastąpi później. Że będzie musiał załatwić ochroniarzy, dopiero później złapać go i jakimś sposobem zmusić do spowiedzi. A tu, proszę, właściwie było po wszystkim. Na dodatek Antylopę miał na klęczkach.

– Wracając do fałszerstw. To jest jak zabawa. Dlaczego nie może być dwóch takich samych obrazów na świecie? Trzech, czterech...? Skoro żyjemy w epoce mechanicznej reprodukcji, niech nie jeden, a dwóch cieszy się, że ma oryginał. Ja im w tym pomagam. Nawet Bóg jest w Trójcy. Ojciec się nad tym nie zastanawiał?

– Milcz i nie bluźnij! Tu jest dom Boga. – Ivo przeżegnał się i zmówił szybko zdrowaśkę. Czuł, że tak należało.

– Czy kopiowałeś sam?

– Miałem sześciu ludzi. Robili to właściwie za darmo. Wystarczyło ich tylko postraszyć.

– Czyli do zła namawiałeś innych?

– Ale i tak nieźle na tym wychodzili.

– Jak ich straszyłeś?

– Szantaż. Że coś się stanie bliskim, anonimy. To naprawdę proste.

– Anonimy?

– Tak, mam do nich słabość. Ciekawie było kogoś postraszyć i później obserwować, jak się zachowuje.

– Kim tak manipulowałeś?

– I tak ojciec nie uwierzy albo nie zna. Ostatnio chodziło o aktorkę, ale już mnie to znudziło. Zresztą powinna tu być za godzinę.

Ivo milczał przez chwilę.

– Synu, widzę, że twój grzech jest wielki i ciężki. I że nie zamierzasz go przerwać. Nie wiem, czy jest dla ciebie ratunek. A skłonność do złodziejstwa i oszustwa cieszy szatana. Powiedz, dlaczego tu przyszedłeś? Czy twoja chęć spowiedzi była szczera?

– Przyszedłem, bo uwielbiam ten kościół. Przyznam się do jeszcze jednej grzesznej myśli. Że chciałbym go mieć na własność. Ukraść. Ale na razie nie mam odpowiedniej techniki.

– To jeszcze jedno bluźnierstwo, które dziś tu usłyszałem. – Ivo znowu się przeżegnał. – Gdybyś nie wyrażał się tak składnie, pomyślałbym, że mam do czynienia z szaleńcem. Kraść dom Boga? Żeby go mieć tylko dla siebie? Zdrowaś....

Antylopa nie przeszkadzał w modlitwie. Gdy Ivo skończył, zwrócił się na powrót do spowiadającego się.

– Ale nie odpowiedziałeś na pytanie. Dlaczego tu przyszedłeś?

– Ojciec nawet nie wie, jak to jest być przestęp-
cą. Mieć władzę, czas, kobiety. Najgorsze jest to, że
niewielu ludzi może się o tym dowiedzieć, bo inaczej
bym najzwyczajniej wpadł – Antylopa przełknął ślinę. – A ja czasem muszę komuś powiedzieć, co robię. I dlatego od czasu do czasu idę do konfesjonału. Brata wiąże tajemnica spowiedzi. Jestem kryty.

– Jest dla ciebie ratunek, błądząca duszo – Ivo
starał się nadać swojemu głosowi podniosły ton
i robił długie przerwy. – Pamiętaj, że łaska pańska
nie zna granic. Zaprawdę, powiadam ci, wejdź na
drogę dobra. Połóż się krzyżem przed ołtarzem na
całą mszę, ale najpierw powąchaj tę chusteczkę.

– Co mam zrobić?

– Powąchać tę chusteczkę, która jest relikwią
świętego Pijara, właśnie odkrytą w naszym klasz-
torze.

– Świętego – kogo? – Antylopa obeznany cokolwiek ze sztuką, także sakralną i życiem Kościoła,
nie natknął się nigdy na istnienie tak mglistej postaci w historii życia zakonnego. Nie spotkał jej też
w żadnej krzyżówce. I jeszcze ten dość dziwny rozkaz...

– Świętego Pijara. Ta chusteczka da ci czystość
myśli i uczynków w sposób cudowny, skoro twoja
wola jest na to za słaba.

Po chwili Antylopa leżał na posadzce kościoła,
a Łebski drapał się po głowie, co dalej. Do środka

znowu ktoś wchodził. Na Adelę było nadal za wcześnie.

Zrobiło się późno. Adela zbierała się do wyjścia.
Miała w torebce czterdzieści tysięcy. Tyle zażądał
Antylopa za obraz. I choć Ivo wyraźnie powiedział,
żeby nie brała ze sobą pieniędzy, bo nie będą jej
potrzebne, postanowiła nie posłuchać. „A gdy coś
się stanie? Te pieniądze to moje alibi". Tak myślała.

Włożyła skromny strój. Ta dość wyraźna od-
miana w ubiorze spowodowała, że długo nie mogła
oderwać wzroku od lustra. Nie poznawała samej
siebie. Zamiast krzykliwych kolorów, stonowana
elegancja, prostota kroju. Od razu pomyślała, że
wygląda jak święta. Zapaliła świeczkę, która jeszcze stała na stole po wczorajszej kolacji, wzięła ją
w rękę i nadal wpatrywała się w lustro. Pieniądze
wystawały z torebki niedbale rzuconej na łóżko.
Gdy znudziła się jej ta zabawa, zapaliła papierosa,
wykręciła numer taksówki i postanowiła poprawić
makijaż.

Nie wiedziała, że cały ten czas była obserwowa-
na. Tuż przed wyjściem, gdy gasiła papierosa, usłyszała pukanie do drzwi. Zdziwiona zapytała „kto
tam?", a po chwili wpuściła gościa do środka.

– To ty? Ale niespodzianka. Wejdź, tylko mam
mało czasu. No i jest tu ciasno.

W małej, drewnianej budce robiło się coraz cia-
śniej. Na dodatek, ciało Antylopy wykazywało sporo energii do życia i Łebski musiał naprężać mię-
śnie nóg, żeby utrzymać w ryzach kupę mięsa, na
której siedział. Kolana miał prawie pod brodą. Na
szczęście, zakonna szata wiele skrywała, a światło padało tak, że wnętrza konfesjonału widać nie
było.

– Bracie Lucjuszu – zaczęła się spowiedź – wiesz
o mnie wszystko. Ostatniej nocy znowu miałem
zły sen. Śniło mi się, że ona do mnie przyszła. Czy
tak już będzie zawsze? Czy nie uzyskałem przeba-
czenia?

Ivo postanowił w ogóle się nie odzywać, ogra-
niczając się tylko do pochrząkiwań. Z Nawałą mogło już tak łatwo nie pójść jak z Antylopą. Znali się
przecież dobrze. Głos, twarz, oczy, wszystko mogło go zdradzić.

– Kontynuuj, synu.

Właściwie nic nie przerywało spowiedzi, z wyjątkiem dziwnego szumu materiału, kilkukrotnie
dochodzącego zza kraty. Zakonnik czasem zacho-
wał się dość nerwowo, a nawet raz mocno kopnął w drewnianą ścianę konfesjonału, co poniosło
się po całym kościele. Zdziwiony Nawała widział,
jak brat Lucjusz żegna się w momentach tego nie-
zwykłego poruszenia. „Widocznie ma zły dzień" –
przeszło mu przez głowę.

Kiedy było już właściwie po wszystkim, usłyszał niespodziewane zdanie.

– Przypomnij mi swój największy grzech.

– Mamę? – Nawała odsunął głowę do tyłu, później przybliżył. Był nadzwyczaj zdziwiony zarysem twarzy widzianej przez drewniane kraty konfesjonału. Powoli dochodziła do niego niewiarygodna prawda, że wyspowiadał się nie bratu Lucjuszowi, tylko komuś tradycyjnie znienawidzonemu.

– Łebski, to ty!

Ivo zdjął kaptur z głowy i uśmiechnął się ironicznie do Nawały.

– Możesz być spokojny. W takich warunkach cały czas obowiązuje mnie tajemnica spowiedzi.

Nawała poderwał się na równe nogi i skoczył w stronę drzwi spowiedniczej budki, ale Łebski był szybszy i to on nawiązał pierwszy kontakt. Nigdy nie byli siebie tak blisko.

Adela nagle zdała sobie sprawę, jak blisko jest rozwiązania dręczących ją koszmarów. Powoli wyciągała spinki z włosów i rozpinała bluzkę. Usiadła na brzegu łóżka pokrytego porozrzucaną odzieżą, bo jak zwykle wcześniej nie wiedziała wielokrotnie w co się ubrać. Ale teraz to nie miało już najmniejszego znaczenia. Wzięła do rąk satynową bluzkę, prezent od Łebskiego, i podsunęła ją pod nos. Czuła na niej jego perfumy. Przypomniała sobie tamten wieczór, gdy poprosiła go, by się podzielił z nią jego zapachem. Łzy zajaśniały w oczach aktorki. Prawdziwe, słone. Pomyślała, że przeżyła razem z Łebskim w tej wypchanej bibelotami przyczepie najwspanialsze chwile życia. Poszukała w torebce chusteczek. Pieniądze wypadły na łóżko. Zadzwonił telefon. Adela chciała odebrać, ale przybysz nie pozwolił jej na to. Telefon dzwonił długo, monotonnie. Aż zamilkł.

Czas nagle skurczył się do wielkości banana, ale słodko Fajfusównie wcale nie było. Czuła arktyczne zimno napływające nie tyle od strony zamkniętych przed momentem drzwi, co z głębi ciała, od samych kości. Jakby ktoś wkładał ją na wieki w lodowatą szczelinę. Zbladła niepomiernie i czerwień szminki wystąpiła na usta jak zły plan na wojskową mapę, w noc przed napaścią.

– Skoro tak, to mam chyba prawo do ostatniego papierosa?

Zapaliła naraz trzy, cienkie, pedalskie i zaciągnęła się nimi głęboko. Późnej spojrzała jeszcze na swoje zdjęcie ze studiów; miała na nim te swoje wielkie, śmiejące się oczy. I nastała ciemność.

Błyski fleszy drażniły oczy Nawały. Ocknął się. Zorientował się, że leży na ziemi pośrodku grupy japońskich turystów. Minęło trochę czasu, zanim ocenił sytuację na dobre.

– Paszli won! – krzyknął.

– To nic nie da, przecież nie rozumieją. O, nad-
chodzą twoi ludzie.

Na wyciągnięcie ręki, która zakończona była za-
trzaśniętymi kajdankami leżał Antylopa. A właściwie ni to kucał, ni stał, przytwierdzony do muru
kościoła Mariackiego metalową obrożą.

Były to kuny, trzystuletni zabytek, używany
kiedyś do karania przestępców.

Antylopa zachowywał spokój. Wiedział, że łatwo się z tego nie wyplącze. Nie zważając na ból,
jaki zadaje Nawale, okręcił się wokół swojej uprzę-
ży, starając się nabić ulubioną fajkę.

– To wszystko Łebski... – Nawała powoli wypro-
wadzał zaistniałą sytuację z nieprawdopodobieństwa do fabularnych fenomenów. – Ja mu jeszcze
pokażę! – Zauważył, że w wolnej ręce trzymał swój
dawno niewidziany służbowy pistolet. Wymierzył nim w kierunku Japończyków. Tylko kilka kobiet zapiszczało i uchyliło się przed ewentualnym
ostrzałem, ale większość z entuzjazmem przyjęła
ten gest i filmowała energiczniej.

W tym momencie do zbiegowiska podeszło
dwóch stójkowych.

– Przecież to pan nadkomisarz! – poznał patrol,
z którym miał przyjemność w „Nic Nowego”.

– Panie nadkomisarzu, czy to jakaś akcja? Pro-
mocja policji? Mamy nie przeszkadzać?

– Co za barany! – Antylopa zapalił wreszcie fajkę i roześmiał się na cały głos.

– Rozkuć mnie natychmiast!

W tym samym czasie sprawca spektakularnej akcji na Rynku, Ivo Łebski, podążał szybkim krokiem z powrotem w kierunku kościoła Pijarów. Idąc, wykręcił numer Adeli, ale ciągle nie odpowiadała. „Może zapomniała komórki?".

Wpadł między filary kościoła i nie zważając na rozpoczynającą się mszę, rozglądał się między wiernymi. Niestety Adeli wśród nich nie było. Znowu zanurzył się we mgle.

W wilgotnym, mglistym mroku jaśniała najgorsza z możliwości. Łebski po szaleńczej jeździe przez Kraków wpadł między serialowe dekoracje i jechał na oślep, w poświacie odbijanych przez mgłę reflektorów samochodowych. Wreszcie wjechałby w przyczepę Adeli, gdyby nie pranie rozwieszone między drzewami, a jej czerwona sukienka zatrzymała go skutecznie jak sygnalizacja na Stradomiu.

– Adela, jesteś tu?! – nawet nie wyłączył silnika, podbiegł do drzwi małego, plastikowego domku, otworzył je z rozmachem i dalej pamiętał już wszystko jak przez firanki obłędu. Czerwienie i zapach kaszanki, malachitowe góry nieprawdopodobieństwa i piekło najgorszej z powtarzalności. Poczuł, że krew odpływa mu z mózgu, a ciało, począwszy od głowy, wypełnia jakaś piekąca suchość, którą falami zaczęły zastępować płynące żyłami małe szpilki, później igły, zamieniające się wreszcie w gwoździe. Aż nieznośny ciężar tego, co się stało przygniótł Łebskiego tak, że pociągnął po raz ostatni powietrza i stracił przytomność.

Obraz, który tak mocno wstrząsnął policjantem, nie pozostawiał najmniejszej wątpliwości – Adela nie żyła. Ściany przyczepy wysmarowane były jej krwią. W ciasnym wnętrzu tylko sufit nie był dotknięty makabryczną ręką psychopatycznego zabójcy – bielił się nienaturalnie w nienaturalnej grotesce okrutnej śmierci. Krew pokryła ściany nieregularnymi, szorstkimi maźnięciami bluzki umaczanej w czerwonym pigmencie; ta bluzka, prezent od Łebskiego, leżała na podłodze, obok Adeli. Krew wytworzyła wielkie bajoro pośrodku przyczepy i kilkoma małymi rzekami rozlewała się w kierunku drzwi. Ivo spojrzał jeszcze tylko w dół, na swoje buty stojące pośrodku tych płynących powoli strumieni. Miał nawet wrażenie, że słyszy jak kapią, wypływając przez próg. Zwalił się właśnie w tę stronę, do tyłu.

Ciało aktorki było okrutnie okaleczone siekierą, leżącą na stoliku. Ubranie, pocięte razami mordercy, przyklejone do pokiereszowanych, modelowych kiedyś kształtów, wskazywało rozmiar makabry – obcięta ręka, wnętrzności wypływające z brzucha, rozharatana głowa, trzy palce leżące na stole. W ciasnym wnętrzu słuchać było jakby echo krzyku, którym rozstawała się ze światem Fajfusówna. A naprawdę była to nieznośna cisza, następująca zawsze po krwawych czynach, robiąca z wampirycznej niedorzeczności okrutną oczywistość faktu dokonanego. Makabrycznie okaleczona twarz nie wyrażała wiele, bo nie mogła. Trup miał wybite zęby i wypłynięte oko. Zmiażdżony nos wbił się w czaszkę, z której parował mózg. Ta nieprawdopodobna zbrodnia przemieniała noc zawodowego triumfu Łebskiego – policjanta w rytuał okrutnej, barbarzyńskiej śmierci, ofiary na próżno spełnionej, gdyż bogowie żądający takich poświęceń już dawno umarli.

Ivo już nie usłyszał kroków podchodzącego do przyczepy człowieka.

Jego cień w świetle reflektorów alfy położył się na leżących ciałach.

Człowiek ten przypatrywał się im. Trwało to dość długo. Później odwrócił się, wsiadł do samochodu Łebskiego i odjechał.

Nawała na czele asów swojego wydziału, taksówkami, zajechał na miejsce. Wspiął się z trudem na drugie piętro i uderzył kulą w drzwi podpisane „Rabarbar Dyjma". Nikt nie odpowiedział. Konserwator zabytków razem z człowiekiem z Instytutu Filmowego, którego Dyjma był kierownikiem, wyrazili zgodę na akcję bezpośrednią. Kilku drągali z komendy rozprawiło się z zamkami i w kilkanaście sekund później Nawała z pistoletem w dłoni wszedł do środka. Chwalił się teraz na każdym kroku na nowo odzyskaną bronią.

Wewnątrz odkryli w fotelu wychudzonego mężczyznę lat około pięćdziesięciu, bez wyraźnych oznak życia. Na kolanach trzymał scenariusz filmowy.

– Ja się tym zajmę – powiedział człowiek z Instytutu, wyjmując go z rąk reżysera.

Ekipa kręciła się po mieszkaniu. Nawała wyszedł do prasy, robiącej spore zamieszanie na korytarzu kamienicy. Nawet kolejna wycieczka Izraelitów zainteresowała się dziwnym zbiegowiskiem.

– Czy reżyser Dyjma się odnalazł?

– Tak, ale niestety, wszystko wskazuje na to, że nie żyje od czterdziestu ośmiu godzin.

– Kto w takim razie podlewał kwiaty w jego mieszkaniu?

– Proszę o zachowanie powagi.

– Czy umarł naturalną śmiercią?

– Tak, dziękuję, nie mam więcej odpowiedzi.

Trudno jednak było nazwać naturalną śmiercią wykrwawienie się od rany postrzałowej. Nawała zdążył już schować pistolet do kieszeni, w dziecięcej nieświadomości posiadania narzędzia tej śmierci.

– Panie komisarzu, dziwna sprawa – wywiadowca przyniósł czarną kominiarkę. – Kto trzyma czapkę w zamrażalniku?

– Weźcie ją do zbadania. Filmowcy to dziwni ludzie – Nawała podrapał się po głowie. – A może miał wszy?

– I jeszcze coś. Jakiś list, z którego wynika, ze ten poszukiwany przez nas aktor, Rozmaryn Pietrzykowski, był jego synem.

Na to wszystko do salonu wszedł człowiek z Instytutu Filmowego.

– Ależ to jest prawdziwe dzieło sztuki – wskazywał na scenariusz. – To będzie najlepszy film Dyjmy, co za sensacja!

Prawdziwą sensację przyniósł następnego dnia „Express".

Na trasie Warszawa–Kraków, za Sosnowcem, rozbiło się czarne alfa romeo, należące do komisarza Ivo Łebskiego z Warszawy. Samochód prowadził Rozmaryn Pietrzykowski, aktor poszukiwany przez policję i producenta serialu „Zbójcy". W kabinie samochodu, oprócz trupa, znaleziono torebkę należącą do Adeli Fajfusówny. W środku znajdowało się dwadzieścia tysięcy złotych. Taką samą sumę Rozmaryn zostawił w noc zabójstwa w kasynie hotelu Orbis.

Później było wiele ciężkich nocy i ciągnących się w nieskończoność dni. Ivo nie wychodził z mieszkania na Madalińskiego w Warszawie. Nie odbierał telefonów. Jedynym człowiekiem, którego widział, był on sam, przed lustrem w łazience. Wreszcie spojrzał sobie głęboko w oczy, do samego końca spirali niechęci do samego siebie, włączył maszynkę do golenia i wrócił do społeczeństwa.

Adela wróciła jeszcze raz na czołówki gazet. Było to w dniu jej pogrzebu. Msza, kazanie, kondukt żałobny. Ale Ivo nie widział tego wszystkiego. „To już druga kobieta, którą pochowałem w ciągu ostatniego roku. Czy to coś znaczy? W ogóle nie należało się stąd ruszać. I żadnych kobiet do końca życia".

Ulicami Warszawy pędziły samochody, staruszka karmiła koty, młodzi całowali się na ławce. Wieczorem miała być premiera. Wprawdzie serial wchodził na ekrany telewizorów dopiero za miesiąc, ale korzystając z niespodziewanych wypadków, które towarzyszyły końcówce zdjęć, producenci postanowili podgrzać zainteresowanie mediów. Pierwszy odcinek „Zbójców" miał zostać pokazany w Teatrze Wielkim, na uroczystej gali, zaproszenie dostał nawet prezydent.

Ivo miał to wszystko głęboko w taśmie. Ale poszedł do teatru ze względu na Adelę. Żeby zobaczyć ją na filmie po raz ostatni. Po projekcji przyjętej owacją na stojąco całe towarzystwo udało się do foyer na bankiet. Gdy dziennikarze odstąpili od prezydenta, część z nich przyssała się do Łebskiego.

– Widziałem, że nie płakał pan na pogrzebie i tylko dwa razy wysmarkał nos. Dlaczego?

– Jak pan znosi obecność poprzednich jej kochanków w pobliżu?

– To prawda, że przedziurawił pan przewody hamulcowe w swoim samochodzie, w którym zabił się Rozmaryn Pietrzykowski, bo był pan zazdrosny?

– Znał pan Adelę od strony intymnej. Plotka głosiła, że miała sztuczne zęby...

Ivo nie odpowiedział na żadne z pytań, a zirytowani tym faktem dziennikarze stawali się coraz bardziej natarczywi.

– Pan odkrył ciało. To prawda, że nie miało oka?

– Czy wiedział pan o tym, że kręciła rozbierane filmy?

– Dlaczego pan nic nie mówi?

– Ludzie, przecież mam żałobę!

– Chyba nie mogło być lepszej reklamy dla tego filmu niż śmierć aktorki. Czy producent brał w tym wszystkim udział?

– Ona została zamordowana. Opamiętajcie się, chodzi o śmierć człowieka.

– Ale jednak to przyniosło filmowi rozgłos. Poza tym pan kręcił ostatnie odcinki.

– Pan zdaje się zabił swoją poprzednią narzeczoną?

Ivo miał ochotę rzucić się na nich z pięściami i pewnie by to zrobił, gdyby nie zauważył stojącego za nimi nadkomisarza Rutynnego.

– Przepraszam – przecisnął się przez fotoreporterów i podszedł do zwierzchnika.

– To ja cię przepraszam. Nie powinienem był cię wysypać przed krakusami.

– To już nieważne.

– I co, zostajesz z nimi? – Rutynny wskazał na dziennikarzy i fotoreporterów przeładowujących aparaty. Właśnie rzucali się na Racucha, który w odróżnieniu od Łebskiego, z szerokim uśmiechem przywitał zainteresowanie mediów i zdjąwszy koszulę prezentował nowy tatuaż na plecach. Ivo odwrócił głowę w kierunku stołów z jedzeniem, wokół których tłoczyła się wielkomiejska publiczność, szukająca sushi oraz sensacji i niewiedząca, że jedyną sanacją od płytkości przeżywania z góry zaplanowanego życia jest podążanie ścieżką własnego pragnienia, nawet jeśli miałoby być niemodne.

Ivo milczał, patrząc na tę bezosobową masę. Zapalili.

– Jest jakaś sprawa do wzięcia?

– Uff – odsapnął Rutynny. – Cieszę się, że to nie koniec.